FY NHAL-Y-SARN I

Fy Nhal-y-sarn i

Hanes y pentref drwy atgofion

Cledwyn Jones

Argraffiad cyntaf: 2009

ⓗ testun: Cledwyn Jones/y cyhoeddiad Gwasg Carreg Gwalch

Cedwir pob hawl. Ni chaniateir atgynhyrchu unrhyw ran/rannau
o'r gyfrol hon mewn unrhyw ddull na modd
heb drefniant ymlaen llaw gyda'r cyhoeddwyr.

Rhif rhyngwladol: 978-1-84527-228-9

Mae'r cyhoeddwr yn cydnabod cefnogaeth ariannol
Cyngor Llyfrau Cymru

Cynllun clawr: Sian Parri

Cyhoeddwyd gan Wasg Carreg Gwalch,
12 Iard yr Orsaf, Llanrwst, Conwy, LL26 0EH.
Ffôn: 01492 642031 Ffacs: 01492 641502
e-bost: llyfrau@carreg-gwalch.com
lle ar y we: www.carreg-gwalch.com

Argraffwyd a chyhoeddwyd yng Nghymru.

Cynnwys

Pentref Tal-y-sarn a'r amgylchedd

Nid oes amheuaeth nad oedd Dyffryn Nantlle yn yr oesoedd cynnar cyn hardded ag unrhyw ddyffryn yng Nghymru, gyda'i lechweddau a'i glogwyni, ei fynyddoedd, ei goedwigoedd a'i lynnoedd. Yma ar dir fferm y Ffridd, yn ôl Pedwaredd Gainc y Mabinogi, y rhoddwyd ei ffurf ddynol yn ôl i Lleu gan ei ewythr, y dewin Gwydion. Yn y dyffryn hwn y creodd Gwydion y ferch hudolus honno, Blodeuwedd. Y forwyn bwysig yn llys Math fab Mathonwy oedd Goewin, merch Pebin – eto yng nghyffiniau Tal-y-sarn.

Fel y dywedodd R. Williams Parry yn ei gerdd, 'Dyffryn Nantlle Ddoe a Heddiw':

Ymwelydd:	A glywsant hanes Math yn diwyd weu Deunydd breuddwydion yn y broydd hyn? A glywsant hanes Gwydion yntau'n creu Dyn o aderyn yma rhwng dau lyn?
Brodor:	Clywsant am ferch a wnaed o flodau'r banadl Heb fawr gydwybod, dim ond anadl.

Erys rhai o'r enwau a ymddengys yn y chwedl fel enwau lleoedd yn yr ardal o hyd, fel Dinas Dinlle, Bryn Gwydion, Dôl Pebin ac eraill. Pan oeddem yn blant yn yr ysgol yn Nhal-y-sarn, gwrandawem yn gegrwth ar yr athro yn adrodd yr hanesion hyn, ac ymfalchïem yn ein hetifeddiaeth hynafol.

Saif pentref Tal-y-sarn tua hanner ffordd rhwng Dinas Dinlle yn y gorllewin a'r Wyddfa yn y dwyrain. Ar ochr ddeheuol y dyffryn, saif cadwyn o fynyddoedd yn ymestyn o'r Wyddfa i'r môr ger Nant Gwrtheyrn yn y gorllewin. Y mynydd nesaf at yr Wyddfa yw Mynydd y Garn, yna Mynydd Drws-y-coed, Mynydd Talymignedd, Cwm Silyn a Cwm Dulyn. Yna cawn fwlch yn y gadwyn, sef Bwlch yr Eifl sy'n arwain i Eifionydd, cyn mynd ymlaen i gwblhau'r gadwyn gyda'r Gyrn a'r Eifl.

Ar ochr ogleddol y dyffryn, ar draws y ffordd fel petae i Fynydd y Garn, saif Mynyddfawr, neu i roddi ei enw lleol iddo, Mynydd Grug. Ym misoedd yr haf, y mae'r mynydd yn drwch o rug amryliw, a phan fo'r haul yn machlud y mae edrych arno yn brofiad nas anghofir byth. I'r gogledd-orllewin o'r Mynydd Grug, saif mynydd y Cilgwyn gyda'i chwareli llechi hynafol. Yn ôl archaeolegwyr diweddar, defnyddiwyd llechi o'r hen chwarel hon gan y Rhufeiniaid yn y ganrif gyntaf OC i doi'r stablau yng nghaer Segontium ger Caernarfon, ac yn arbennig y lloriau, i rwystro tân.

Cul iawn yw'r dyffryn yn y pen dwyreiniol, ac oherwydd hyn, ychydig iawn o haul a welir ym mhentref Drws-y-coed, sydd rhwng Mynyddfawr i'r gogledd a'r Garn yn y de, a chredai'r hen bobl mai dyma'r rheswm paham yr oedd cymaint o'r trigolion yn dioddef gan y darfodedigaeth. Boed hynny fel y bo, nid wyf yn credu y buasai gwyddonwyr heddiw yn derbyn damcaniaeth o'r fath — buasent hwy yn rhoddi mwy o bwyslais ar ddiffyg bwyd iachusol na diffyg heulwen a chynhesrwydd.

Buasai'r Rhufeiniaid yma yn ystod eu harhosiad ysbeidiol yng Nghymru, yn cloddio am gopr yn ôl yr hanes, a bu'r gwaith ar agor yn awr ac yn y man hyd y ddeunawfed ganrif, a chafwyd cyfnod llewyrchus iawn ar ddechrau'r ddeunawfed ganrif, pan symudodd teuluoedd o Forafiaid i'r ardal i gynhyrchu copr.

Ar wahân i waith copr Drws-y-coed, a chyn dyfodiad effeithiau'r Chwyldro Diwydiannol i'r dyffryn, prin a gwasgarog iawn oedd y boblogaeth, gyda nifer o dyddynnod ar y llechweddau, ond yr oedd hefyd ambell i fferm sylweddol a chynhyrchiol ar lawr y dyffryn a'u hanes yn ymestyn yn ôl i'r Oesoedd Canol. Dyna i chi fferm Talymignedd yn ymyl pentref Drws-y-coed, gyda thir cyfoethog ar lan Llyn Uchaf, Nantlle, ac aceri lawer yn ymestyn i fyny llechwedd Mynydd Talymignedd. I'r gogledd wedyn, gorweddai fferm Gelli Ffrydau, cartref genedigol yr enwog Angharad James, gyda thir cyfoethog eto, ac aceri lawer o dir pori ar lechwedd Mynyddfawr. Drws nesaf i Dalymignedd yr oedd ffarm y Ffridd, a'r tŷ fferm led cae o lan Llyn Uchaf, Nantlle.

I'r gorllewin, ar lan afon Llyfni, yr oedd ffarm enwog Dôl Pebin a anfarwolwyd ym Mhedwaredd Gainc y Mabinogi. Yma y trigai Pebin a'i ferch enwog Goewin, a oedd yn un o'r merched pwysicaf yn llys Math. Y mae hen adeilad Dôl Pebin yr oeddwn i yn gyfarwydd ag ef wedi hen ddiflannu, a dim ond nifer o dai cyngor lle buasai 'gwartheg gwyrthiol Pebin' yn pori yn ystod y 'cynfyd'. Ar ochr ogleddol afon Llyfni, yr oedd hen fferm Coedmadog, a'r drws nesaf iddi, yr Hafodlas. Yr oedd y ffermydd hyn yn hen, ac nid oedd na phentref na thref yn agos yn unman. Y fferm am y ffin â Dôl Pebin oedd Taldrws (Taldrwst ar lafar). Mae'r enw, debyg, yn disgrifio tir a gyrhaeddai at ddrws y fferm. Fel y crybwyllais yn gynharach, yr oedd y ffermydd a enwyd yn gymharol gyfoethog, er mai dyffryn coediog, corslyd oedd Dyffryn Nantlle cyn dyfodiad y chwareli.

Ar ddiwedd y ddeunawfed ganrif, daeth tro ar fyd, a galwad mawr am lechi i doi tai ar gyfer cannoedd o weithwyr a ymfudasai i gyffiniau'r ffatrïoedd mawrion a ymddangosodd bron dros nos yng nghanolbarth Lloegr. Ffatrïoedd oedd y rhain a gynhyrchai gotwm a fewnforiwyd o'r Unol Daleithiau, ac yr oedd galwad mawr am ddefnydd cotwm ym mhob cwr o'r Ymerodraeth Brydeinig, yn arbennig India. Ond yr oedd galw am gannoedd o weithwyr i drin y peiriannau newydd i gynhyrchu'r brethyn. Ymfudodd cannoedd o ddynion o'u cynefin amaethyddol i'r ffatrïoedd hyn, yn ogystal â diwydiannau eraill a dyfodd ochr yn ochr â nhw. Yr oedd y mentrwyr a'r cyfalafwyr yn awyddus i gyflogi gweithwyr gynted ag oedd bosibl, er mwyn sicrhau gymaint o elw ag oedd bosibl mewn ychydig amser, ond i sicrhau llwyddiant, yr oedd yn rhaid iddynt adeiladu tai ar eu cyfer. Ond wrth gwrs, yr oedd y bythynnod to gwellt yr oedd y gweithwyr yn gyfarwydd â nhw yn llawer rhy gostus ac yn cymryd gormod o amser i'w hadeiladu. Dyma pryd y sylweddolwyd gwerth y llechen, yn arbennig i doi'r tai, oherwydd yr oedd y llechi yn gymharol rad ac yn llawer cyflymach i'w gosod. Sylweddolodd mentrwyr – lleol ac o Loegr – bod cyfoeth dibendraw yn gorwedd dan dir Dyffryn Nantlle, ac y dylent ddechrau cloddio amdano ar unwaith. Dyma pryd yr agorwyd chwarel y Gloddfa Goed ar dir fferm hynafol Hafodlas, a'r Gloddfa Glai ar dir fferm Coedmadog. Ond os oedd y chwareli hyn i gynyddu a datblygu, yr oedd angen gweithwyr cryfion i ymgymryd â'r gwaith trwm. Yn ffodus, yr oedd digonedd o weithwyr o'r fath ar gael yn yr ardaloedd cyfagos, oherwydd stâd ddifrifol amaethyddiaeth ar ddiwedd y ddeunawfed ganrif; yr oedd y sefyllfa yn rhemp ym Môn, Arfon a Llŷn. Cymraeg oedd iaith a diwylliant y gweithwyr a gyflogwyd, ac fel y dywedodd yr Athro C.H. Dodd: 'Slate quarrying is, in a sense, the most Welsh of Welsh industries.'

Yr oedd y gweithwyr hyn yn hen gyfarwydd â thrin cerrig o bob math; gwyddai'r hen Frythoniaid sut i adeiladu a sut i ddefnyddio'r llechi oedd o'u cwmpas. Yr oedd chwarel Cilgwyn yn enghraifft o hyn, oherwydd yn ôl archaeolegwyr, oddi yma y daeth llechi i adeiladu amddiffynfa Segontium. Llechi brau oedd ar y toau, oherwydd nid oedd gan yr hen bobl yr offer i dyrchu yn ddwfn i berfedd yr haen lle gorweddai'r llech galetaf a pharhaol. Ond y tebygrwydd yw bod gan nifer o deuluoedd eu chwareli bychain ar gyfer eu hanghenion eu hunain a'r gymuned.

Yn yr un modd, pan agorwyd y chwareli cynnar ar ddiwedd y ddeunawfed ganrif, yr oedd prinder offer yn amlwg; dim ond yn ddiweddarach yr ymddangosodd chwimsis ac olwynion dŵr i droi'r peiriannau, ac yn ddiweddarach fyth yr ymddangosodd stêm. Yr oedd tyllu â llaw i berfedd yr haen yn waith eithriadol galed, a chario'r rwbel o'r twll ar gefn dyn, ac mewn berfa pan oedd hynny'n bosibl.

Ond cynyddu yr oedd y chwareli, a mwy a mwy o ddynion yn chwilio am waith, ac o'r herwydd, mwy a mwy o alw am dai ar gyfer y teuluoedd. Yn y dyddiau cynharaf cerddai'r gweithwyr i'r gwaith o berfedd Môn, neu o bendraw Llŷn, ac aros mewn 'barics' yn ystod yr wythnos, gan gerdded adref ar nos Wener, cyn dychwelyd nos Sul. Nid oedd hyn yn dderbyniol o gwbl, a dechreuwyd adeiladu tai ar gyfer y gweithwyr a'u teuluoedd cyn agosed i'r gwaith â phosibl. Dyma sut y daeth pentref Tal-y-sarn i fodolaeth, fel llawer pentref diwydiannol cyffelyb yng ngogledd a de Cymru.

Nid oes sicrwydd ym mha le yr adeiladwyd y tai cyntaf, ond y gred gan rai gwybodusion yw mai yng nghyffiniau safle'r hen stesion y'u hadeiladwyd, ond ni chlywais i neb erioed yn cyfeirio at y fan honno. Ar y llaw arall, clywais fy nain ar ochr fy nhad yn sôn lawer gwaith am dai 'pen bont'. Yr oedd hi yn dra chyfarwydd â'r tai hynny, oherwydd yno y ganwyd ei gŵr, fy nhaid, ac yn y tŷ hwnnw y trigai ei frawd hyd ei farwolaeth yn 1923. Y mae gennyf innau gof da o dai Penbont yn ystod fy mhlentyndod. Rhesiad o dai unllawr oeddent, a adeiladwyd rhyw ugain llath o dwll chwarel anferth y Gloddfa Goed, ac nid oes amheuaeth am eu cefndir hynafol. Ar draws y ffordd iddynt y mae rhesiad arall o dai unllawr cyffelyb, sydd erbyn heddiw yn dai annedd cyfforddus a modern. Yn 1972, chwalwyd y tai bach lle ganwyd fy nhaid, pan 'sgubwyd miliynau o dunelli o rwbel yn ôl i'r twll y cloddiwyd ef ohono ddwy ganrif ynghynt, gan weithwyr y Cyngor Sir. Yn eu tyb hwy yr oedd y rwbel yn hagru'r dyffryn, ond i mi, collodd y dyffryn ran o'i gymeriad a'i brydferthwch o'r herwydd. Creda'r Cyngor hefyd, yn ei ddoethineb, bod y tyllau yn rhy berygl i blant chwarae o'u hamgylch. Collodd un bachgen bach ei fywyd wrth syrthio i dwll chwarel y Gloddfa Goed, flynyddoedd cyn fy ngeni i, a dyna'r unig dro y cafwyd damwain o'r fath. Yn anffodus, yn ogystal â sgubo'r rwbel yn ôl i'r twll 'sgubwyd tai bach hynafol Penbont i'w ganlyn. Y tai hyn, yn fy nhyb i, oedd yr aneddleoedd cynharaf i'w hadeiladu ym mhentref newydd Tal-y-sarn, oherwydd eu hagosrwydd at y gwaith a'r tyllau. Rhwng y ddau glwstwr yma o dai, rhedai yr hen ffordd a arweiniai i bentref Nantlle. Rhyw ddau gan llath o Benbont, yr oedd clwstwr arall o dai, o'r enw Penyryrfa, gyda'i siop groser a gadwai bopeth a oedd yn angenrheidiol i'r gymuned fach – olew ar gyfer eu lampau, canhwyllau, paraffîn, sebon golchi a bwydydd o bob math. Yr oedd yma efail gof hefyd, a oedd yn bur lewyrchus yn fy nghyfnod i. Efail chwarel Gloddfa Goed oedd hi, ond parhaodd am flynyddoedd wedi i'r chwarel foddi. Yr wyf yn cofio'r gof yn dda iawn, Jo oedd ei enw i ni, gyda'i freichiau cyhyrog a'i fedrusrwydd i drin haearn. At Jo y byddem ni'r plant yn mynd pan fyddai angen cylchyn arnom, a bachyn. Ychydig iawn o draffig peryglus fyddai ar y ffordd y pryd hynny, a byddai'r ffordd fel diwrnod *Grand*

National pan fyddai torf o fechgyn yn rhedeg nerth eu traed gyda'r cylchyn a'r bachyn.

Erbyn ail hanner y bedwaredd ganrif ar bymtheg, yr oedd pentref Talysarn wedi cyrraedd ei lawn dwf. Nid oedd y pentref tlysaf o bell ffordd, oherwydd ar frys y'i hadeiladwyd, ar gyfer datblygiad diwydiannol. Adeiladwyd y strydoedd blith drafflith, heb unrhyw gynllun pensaernïol, ac i ddilyn y ffasiwn, rhoddwyd enw Saesneg i bob stryd. Ychydig iawn o drigolion Tal-y-sarn oedd yn hyddysg yn yr iaith fain hyd yn oed yn fy nghyfnod i. Yn yr Ysgolion Gramadeg, Saesneg oedd y cyfrwng, ond yn ysgolion bach y pentrefi, yr oedd y Gymraeg yn llawer rhy gadarn i'w cholli. Dyma i chwi enwau rhai strydoedd o fewn ychydig lathenni i'm cartref – Eivion Terrace, Brynderwen Terrace, School Terrace, Cavour Street, Coedmadog Road a Church Road – i enwi ond ychydig. Erbyn heddiw, y mae'r enwau Saesneg wedi diflannu ac wedi'u disodli gan enwau Cymraeg. Ond y mae newydd-ddyfodiaid yn llenwi'r pentref, ac yn eu plith, llawer o Saeson, a'r mwyafrif ohonynt yn uniaith Saesneg. Daeth tro ar fyd yn sicr.

Fel y crybwyllais uchod, adeiladwyd y tai cynnar ar lawr y dyffryn, ond fel y datblygai'r chwareli, a galw am fwy a mwy o dai ar gyfer y gweithwyr, adeiladwyd llawer o dai ar y llechwedd gogleddol, i osgoi ymyrryd â datblygiad cyflym y chwareli, ac i osgoi'r tir corslyd o amgylch Afon Llyfni, a hefyd tir cynhyrchiol Dôl Pebin.

Nid pentref i ddenu twristiaeth oedd Tal-y-sarn; pentref diwydiannol oedd o, ac un digynllun iawn, wedi'i adeiladu ar frys.

Fel y tyfai'r pentref a'i boblogaeth yn ail hanner y bedwaredd ganrif ar bymtheg, o angenrheidrwydd, ymddangosai mwy a mwy o siopau ar eu cyfer. Hyd yn oed yn fy nyddiau cynnar i yr oedd pump o siopau groser yn bur agos i'w gilydd, dau weithdy crydd, pedair siop cigydd a dau deiliwr. Yn ystod degawd olaf y bedwaredd ganrif ar bymtheg, o gwmpas 1872, adeiladwyd stesion gan gwmni LMS, yn bennaf ar gyfer cludo llechi o'r chwareli i wahanol borthladdoedd a threfi. Ond byddai trigolion lleol yn cael cyfle i ddefnyddio'r trên hefyd, cyn belled â Phen-y-groes, a byddai'r trên dan ei sang ar nos Wener a nos Sadwrn, pryd y byddai'r chwarelwyr yn cael seibiant ar ddiwedd wythnos galed ymysg y llechi. Dwy hen geiniog oedd y gost (un ffordd).

Pentref fy maboed

Ym mhentref Tal-y-sarn y gwelais olau dydd am y tro cyntaf, ac yn ôl fy mam, ar yr ail o Fehefin, 1923, tua hanner dydd ar ddydd Sadwrn, a hithau'n ddiwrnod chwilboeth. Yn ystod ei blynyddoedd olaf, byddai fy mam yn fy atgoffa yn rheolaidd o'r diwrnod tyngedfennol hwnnw. Yn naturiol, nid oes gennyf gof o gwbl o'r achlysur, ond byddwn yn derbyn popeth a ddywedai mam yn ddi-gwestiwn. Yn gymharol ddiweddar, darllenais erthygl mewn cylchgrawn daearyddol yn disgrifio'r modd yr amrywiai'r tywydd o flwyddyn i flwyddyn, a chyfeiriwyd yn arbennig at haf 1923, ac yn ôl yr awdur, yr haf gwlypaf ers canrif a mwy. Ymddengys felly i mi gael fy ngeni ar yr unig ddiwrnod heulog, chwilboeth ym Mehefin 1923. Ni fuasai mam byth yn dweud celwydd, ac yr oedd fy ngenedigaeth yn ddigwyddiad bythgofiadwy iddi hi rwy'n siŵr.

Rhif 7 Nantlle Road oedd y tŷ lle'm ganed, cartref taid a nain ar ochr fy mam. Saif y tŷ ar fin yr hen ffordd a arweiniai i Nantlle, rhyw filltir i ffwrdd. O ddrws ffrynt y tŷ, edrychem i fyny, yn llythrennol, ar y capel mawreddog ar y bryn ar draws y ffordd, Capel Mawr Tal-y-sarn, wrth gwrs. Yn fuan wedi i mi ymddangos ar lwyfan bywyd, symudom fel teulu bach i Station Road am gyfnod byr, ac yna symud unwaith eto, y tro hwn i Rhif 14, Eivion Terrace, lle y deuthum yn ymwybodol o'm bodolaeth am y tro cyntaf. Cymraeg oedd iaith fy rhieni, a'r Gymraeg oedd iaith pawb yn y pentref. Yr oeddwn i yn uniaith Gymraeg nes oeddwn tua wyth oed; wedi'r cyfan prif amcan iaith yw cyfathrebu, ac nid oedd angen defnyddio unrhyw iaith ond fy mamiaith. Byddai cefnder imi a'i ddwy chwaer yn dod i aros gyda ni yn Nhal-y-sarn yn ystod gwyliau'r haf. Cymry Cymraeg yn byw yn Lerpwl oedd eu rhieni, ond Saesneg oedd iaith y plant. Yr oeddwn yn hoff ohonynt, ond nid oeddwn yn rhy hapus yn eu cwmni oherwydd fy anallu i siarad Saesneg. Y geiriau cyntaf a ddysgais ganddynt oedd 'shut up', ac yn anffodus, ceisiais ddangos fy ngallu i siarad Saesneg trwy ddweud wrth fy mam, 'shut up', a dyna gamgymeriad dybryd oedd hwnnw; sylweddolais nad oedd fy ngeiriau newydd yn dderbyniol o gwbl gan yr hen ledi, a derbyniais *'right hook'* gyda'r galetaf ganddi, ac ni feiddiais am beth amser ddefnyddio'r iaith fain yn ei chlyw.

Stribed o dai cyffredin oedd Eivion Terrace, 23 ohonynt a bod yn fanwl gywir. Adeiladwyd hwy ar y llechwedd gogleddol, yn wynebu'r gorllewin, ac yr oedd golygfa wych o'r drws ffrynt, yn arbennig yn yr haf, gyda'r dyffryn yn ymledu o'n blaen i gyfeiriad Llanllyfni a mynyddoedd yr Eifl, a gallem weld mynyddoedd Cwm Silyn a Cwm Dulyn, ffermydd Taldrws a Dôl Pebin a rhyw hanner canllath o'n blaen yr oedd capel mawreddog yr Annibynwyr. Yr oedd y tai wedi eu hadeiladu ar gyfer gweithwyr cyffredin, gyda dwy lofft, parlwr, cegin a chegin bach lle byddai Mam yn rhoi dillad drwy'r mangl. Nid oedd peiriannau o unrhyw fath y pryd hynny i ysgafnhau y gwaith trwm o olchi dillad chwarel, a gwnaed hynny trwy ferwi dŵr mewn pwced ar y tân a'i dywallt i grwc allan yn y cefn, yna scrwbio'r dillad ar y bwrdd sgwrio gyda bôn braich. Yn y gegin y byddai pawb yn coginio bwyd ar gyfer y Sul, ac ar gyfer 'bwyd caniad' bob nos i'r dynion ar ôl gweithio'n galed drwy'r dydd yn y chwarel. Yr oedd y Parlwr yn '*sacrosanct*', ac ni fyddai neb yn meiddio mynd i'r Sanctus Sanctorum hwnnw os na fyddai angladd neu briodas yn y tŷ. Byddai'r parlwr bob amser fel pin mewn papur, gyda hyd yn oed y grât gyda sglein '*black lead*' arni. Nid oedd toiled dŵr yn unman gan neb, a defnyddiwyd pwced i gludo a thaflu'r dom i 'din y domen fawr' anferth o uchel, a'n cysgodai rhag gwynt y dwyrain. Ni chlywais am neb erioed yn dioddef oddi wrth y salwch ciaidd, polio, a boenodd lawer o blant ar ddiwedd yr Ail Ryfel Byd, am y rheswm syml, debygwn i, bod ein cyrff wedi hen ymgodymu â budreddi o'r fath. Nid disgrifiad o dai Eivion Terrace yn unig sydd uchod, ond yn hytrach naw deg a mwy y cant o dai'r pentref.

Yr oedd y 'domen fawr' yn anferth ei maint, a byddem, pan yn blant, yn rhedeg i fyny ac i lawr y domen hon fel geifr. Yr oedd golygfa fendigedig o ben y domen o rwbel o hen chwarel Tal-y-sarn a gallech weld yr holl ddyffryn yn ei lawn ogoniant o'r Eifl yn y gorllewin i'r Wyddfa a'i chriw yn y dwyrain, ac yr oedd y tyllau a welwyd ymhobman yn ychwanegu at yr harddwch, fel pe baent wedi bod yno erioed. Ar gopa'r domen hon byddai awel o wynt bob amser, ac yr oedd yn lle delfrydol i ni'r plant hedfan ein barcudau a luniwyd gan y tadau, gan gynnwys fy nhad. Barcudau cartref oeddent wrth gwrs, ond er hynny yr oeddent yn hynod gelfydd, wedi'u llunio o bapur llwyd, weiren ambarél a phast. Byddai'r tadau yn cael gymaint mwynhad â'r plant, coeliwch chi fi. Yr oedd y 'domen fawr' rhyw hanner can llath o'n drws cefn, ac yr oedd yn rhan hanfodol o'n hamgylchedd, ac ar y tomennydd hyn y byddem yn chwarae 'cowbois ac indians', gyda Tom Mix a Ken Maynard yn saethu'n gelain bob Indiad a dihiryn a fyddai'n eu bygwth. Nid oedd sinema yn nes na

Chaernarfon, ond byddai ambell i ffilm gynhyrfus yn ymddangos ar sgrîn yn y Neuadd Goffa ym Mhen-y-groes (ffilm fud ydoedd, gyda phianydd lleol yn creu'r awyrgylch angenrheidiol ar y piano). Yn ddiweddarach, o gwmpas 1932, y daeth y sinema gyntaf i Ben-y-groes, sef y Plaza. Ond ein cartref ni oedd y tomenydd o gwmpas ein haelwydydd, lle caem gyfle i ail-fyw yr hyn a welsom ar y sgrîn, â'n dychymyg ar dân. Yn bur aml, efelychem y chwarelwyr, trwy adeiladu cwt o gerrig ar gopa'r domen, a gwneud tân o goed, lle byddem yn ffrio sglodion tatws ar gyfer bechgyn llwglyd. Dyna'r sglodion mwyaf blasus a fwyteais erioed yn sicr i chi. Dyddiau difyr a diniwed.

O flaen bob tŷ yn Eivion Terrace yr oedd clamp o ardd, ac i'r teuluoedd a drigai yno yr oedd eu gardd yn bwysicach na gardd Eden, oherwydd yma y tyfai'r chwarelwyr eu tatws, pys, shilots a letus, a byddai pob gardd bron gyda'i riwbob a chyrains duon a chwsberis. Yr oedd gardd o'r fath bron ym mhob tŷ yn y pentref, a byddai'r teuluoedd yn hunangynhaliol. Rhwng y Pasg a mis Gorffennaf, ni feiddiai'r plant fynd yn agos i'r gerddi, rhag ymyrryd â'r tyfiant. Byddai llawer o dynnu coes rhwng cymdogion pan fyddai ambell ardd yn fwy araf ei thyfiant nag eraill.

Yn 1946, ysgrifennodd fy hen gyfaill Merêd gân hynod boblogaidd ar gyfer Triawd y Coleg, sef 'Mari Fach', ac yn ail bennill y gân honno, cawn ddisgrifiad byw iawn o dai chwarelwyr cyffredin Dyffryn Nantlle. Dyma'r pennill:

Mae'r tŷ yn barod iti, Mari Fach,
A phopeth ynddo'n deidi, Mari Fach,
Y silff ben tân a'r piwtar,
Y pentan bach a'r ffendar,
Yr hen gloc mawr a'r dresar, Mari Fach, Mari Fach,
Yn daclus iawn fel arfar, Mari Fach.

Pan ymunais â'r Llu Awyr yn 1941, fel cannoedd o fechgyn ifanc y cyfnod, byddwn yn cael pwl o hiraeth ambell waith, ac yn ogystal â thad a mam, perthnasau agos a ffrindiau, a'r hen fynyddoedd, byddai cofio am yr hen gegin, cynhesrwydd a chariad yr aelwyd yn dod â deigryn i'r llygad ar adegau. Bob tro y byddem yn canu Mari Fach yn ystod dyddiau coleg byddai'r ail bennill uchod yn fy atgoffa o'r hiraeth dirdynnol a deimlwn yn ystod y dyddiau tywyll hynny yn ystod yr Ail Ryfel Byd.

Siopau'r pentref

Yr oedd nifer helaeth o siopau groser yn y pentref, ac y mae'r cwbl ohonynt yn fyw iawn o flaen fy llygaid y funud hon. Mwy neu lai ar waelod ein gardd ni yn Eivion Terrace, yr oedd siop Mrs Jôs Becar, ar draws y ffordd i gapel Seion mawreddog yr Annibynwyr. Yr oedd yn siop fach lewyrchus dros ben, fel pob un o'r siopau mewn gwirionedd. Gallech ddweud bod siop groser ar gyfer pob cymuned fechan o fewn y brif gymuned. Siop ar gyfer cymuned fechan oedd siop Mrs Jôs, ac yr oedd ganddi ddigon o gwsmeriaid, a digonedd o nwyddau addas o bob math. Bu farw ei gŵr cyn fy ngeni i, ond byddai becar yn gweithio yno yn rheolaidd, ac O! mor hyfryd fyddai cerdded heibio'r becws ac arogli'r arogl bendigedig pan fyddai'r becar yn tynnu'r bara o'r popty.

Rhyw hanner can llath i lawr yr allt yn Cavour Street, safai adeilad anferth o'i gymharu â gweddill adeiladau'r pentref. Hwn oedd y Swyddfa Bost, er na fyddai neb yn defnyddio term o'r fath y pryd hynny. Y Post, neu'r *Post Offis* ddefnyddiem ni. Ar draws y ffordd o'r Post, yr oedd siop groser Dic Dŵr. Richard Rowlands oedd ei enw bedydd, ond Dic Dŵr ar lafar gwlad. Yr oedd ef mor fyddar â phostyn, ac o'r herwydd, debygwn i, nid oedd yn ŵr 'agos atoch chi'. Ar ben hyn byddai'n galw bob tri mis ym mhob tŷ yn y pentref i gasglu'r dreth ddŵr. Yr oedd yn fwy amhoblogaidd na'r trethdalwyr yn y Testament Newydd. Y tâl chwarterol oedd 2s 2g, sef rhyw un geiniog ar ddeg yn ein harian ni. Dim llawer meddech chwi, ond yr oedd 2s 2g yn swm sylweddol allan o gyflog prin chwarelwr; byddai talu swm o'r fath yn ymyrryd â threfn ariannol teulu, ac yn torri ar draws y ddealltwriaeth a fodolai rhwng teulu a siop y groser. Ar ben hyn oll, nid oedd yr hen Ddic y gŵr mwyaf golygus yn y pentref. Cawsai ddamwain ddifrifol i'w drwyn wrth reidio beic yma ac acw i gasglu'r dreth, ac o ganlyniad, yr oedd ei drwyn mor fflat â chrempog. Byddai gwybodusion y pentref yn cyfeirio at fel Dic Drwyndwn. Yr oedd ef a'i wraig yn amhlantadwy, ac o'r herwydd, nid oedd ganddo ddim i'w ddweud wrthym ni'r plant. O ganlyniad, byddem yn mynd allan o'n ffordd i'w gynddeiriogi trwy gerdded ar draws ei ddau gae ar lan afon Llyfni. Yn ogystal â'r caeau ac ychydig anifeiliaid, ef oedd perchennog y siop y cyfeiriais ati uchod. Ei wraig oedd yn gyfrifol am y siop groser, ac yr oedd hi yn llawer mwy 'agos atoch chi'. Yr oedd hi yn wraig hawddgar, ddeallus a pherchid hi gan bawb. Felly, siop Mrs Rowlands oedd y siop i bawb yn y pentref. Y tu cefn i'r siop, yr oedd hen adeiladau a berthynai i'r oes a fu. Yr oedd yno hen stabl a chytiau moch a beudy. Yr oedd yr adeiladau hyn o ddiddordeb mawr i ni'r plant, oherwydd yr oeddent yn ddelfrydol i chwarae cuddio yn y gaeaf. Yn ystod y tymor hwn, byddai dau gymeriad hoffus yn byw yn y cytiau hyn, sef Dafydd Dre a Wil Clocsiwr. Pan fyddai cyllid yn caniatáu, byddai'r ddau ohonynt yn treulio'u holl amser yn y Nantlle Vale Hotel. Er i mi chwilio'n fanwl, methais ddarganfod unrhyw wybodaeth am gefndir y ddau gymeriad. Yr oedd Wil yn glocsiwr proffesiynol, ond ni ddeuthum ar draws neb erioed a wisgai glocsiau o wneuthuriad Wil. Yr oedd ei ddyddiau gwneud clocsiau drosodd erbyn f'amser i.

Fel y dywedais, treuliai'r ddau y gaeaf yn yr hen gwt mochyn yng nghefn siop grosar Mrs Rowlands. Nid oedd ffenestr yn unman, gyda drws a nenfwd isel, fel y disgwyliech mewn cwt mochyn. Roedd yr hen Ddafydd Dre yn gymeriad rhadlon a chyfeillgar, ac un diwrnod fe'm gwahoddodd am baned. Nid oedd na gwely na bwrdd na llestri o unrhyw fath. Cysgai'r ddau ar y llawr ar dwmpath o wair, a hen gotiau drostynt i'w cadw'n gynnes yn y gaeaf. Nid wyf yn cofio sut yr oeddent yn berwi dŵr, ond derbyniais y baned de a ddarparwyd ar fy nghyfer, a hwnnw yn cael ei dywallt o hen debot anferth a oedd cyn ddued â'r frân. Nid oedd y gwpan yr yfwn ohoni lawer gwell, ond yr oedd y baned orau a gefais erioed gyda dwy lwyaid o siwgwr. Ond uchafbwynt y pnawn oedd cael darn o gacen a wnaethai Dafydd, a dyna'r gacen fwyaf blasus a gefais erioed. Gellwch ddychmygu beth fu ymateb fy mam pan adroddais yr hanes wrthi ar ôl mynd adref; cefais lond ceg, nid o gacen, ond o eiriau dethol beirniadol.

Fel hyn y disgrifiodd Griffith Evans (un o'r brodyr) ymadawiad Wil Clocsiwr o'r fuchedd hon:

Ma' clycha'r Nadolig 'na'n canu
Fy ffarwél i'r hen Glofa Glai;
A chloch eglw's nant yn awgrymu
Y madda' fy Iesu bob bai:
Tor fara i ti dy hun Dafydd,
Ma'r twca 'ma'n rhemp o ddi-awch,
A cherbyd crand Crist ar Ddôl Bebi
Yn disgwyl Wil Clocsiwr – nos dawch.

Boed heddwch i lwch y ddau ohonynt; yr oeddent yn gymeriadau unigryw.

Rhyw ddau gan llath o siop Mrs Rowlands, ar fin y ffordd fawr a arweiniai i Ben-y-groes, yr oedd siop Mrs Roberts, Nantlle, a'i gŵr Robat. Ef fyddai'n darparu a phobi'r bara ym mecws y siop. Gŵr hawddgar ydoedd a gwên ar ei wyneb bob amser. Pur anaml y gwelech ef yn y siop, gan mai'r wraig oedd yn rheoli honno, ac yn ôl y gwragedd lleol, hi oedd yn gwisgo'r trowsus. Yr oedd yno bedwar o blant: Hywel D., Gweni, Percy a Glyn. Lladdwyd Glyn ar D-Day 1944. Yr oedd Hywel wedi graddio yn Aberystwyth, ac yr oedd yn aelod pybyr o Blaid Cymru, a chynorthwyodd Urdd Gobaith Cymru gydol ei oes. Yr oedd Gweni yn gantores bur enwog yn ei dydd, ac yn enillydd cyson mewn eisteddfodau. Arbenigai hi mewn canu gyda'r tannau, a chwarae teg iddi, rhoddodd lawer o'i hamser i'n dysgu ni'r plant, y grefft o ganu penillion; yr oeddwn i yn un ohonynt. 'Estroniaid' o Nantlle oedd Mrs Robaitch a'i gŵr, a dyna paham y cyfeiriwyd ati fel 'Mrs Robaitch, Nantlle'. Drws nesaf i siop Nantlle, yr oedd siop groser arall gyda Mrs Williams yn gofalu amdani. Gwraig dawel a bonheddig oedd hi, a'i siop fel pin mewn papur. Ond yn siop Nantlle y byddai Mam yn prynu ei nwyddau, am ddau reswm yn bennaf. Yr oedd Mam yn hoff iawn o ganu, ac yr oedd ganddi feddwl mawr o ddawn Gweni fel cantores, yn arbennig pan ddechreuodd Gweni ddechrau dysgu Megan Henderson a minnau i ganu deuawdau mewn cyngherddau: caneuon fel 'Megan, ddoi di am dre, Efo dyn o'i go', a rhyw gân yn disgrifio gŵr a gwraig yn cadw moch (geiriau gan Ieuan Glan Geirionnydd). Caneuon digon diniwed a di-chwaeth, ond yn dderbyniol mewn cyngherddau am fod Megan a minnau mor ifanc – rhyw saith neu wyth oed. Yr oedd Mam wrth ei bodd wrth gwrs. Dyna un rheswm paham yr oedd siop Nantlle mor boblogaidd ganddi. Rheswm arall, a'r pwysicaf o ddigon, oedd parodrwydd Mrs Robaitch i dderbyn tâl am y nwyddau a bwrcasid yn ystod yr wythnos, ar nos Wener, sef noson tâl yn y chwarel. Os nad oedd digon o arian ar gael, yr oedd hi'n barod i aros tan nos Wener 'tâl mawr', neu dâl 'pen mis'. Byddai'r chwarelwr yn derbyn ychydig o arian ychwanegol, dim llawer cofiwch, ond byddai hyn yn aml yn ddigon i glirio'r ddyled yn siop Nantlle, ac ar yr un pryd, rhoddai gyfle i'r gŵr guddio ychydig o arian at ei ddefnydd ei hun – sef ei 'gelc'. Chwarae teg iddi, gwyddai Mrs Robaitch mor anodd ydoedd cadw dau ben llinyn ynghyd ar adegau, ac yr oedd bob amser yn barod i ysgafnhau'r baich ariannol. Ond gwae neb a ai i ddyled heb wneud ymdrech i'w leihau; gwyddai hi yn iawn pwy oedd y methdalwyr, a byddai enw'r person hwnnw ar led drwy'r pentref cyn diwedd yr wythnos, naill ffordd neu'r llall.

Yn ôl fy nain, roedd gwraig weddw yn byw yn adeilad siop Nantlle cyn i Mrs Robaitch a'i gŵr fentro i fyd busnes yno. Mrs Griffith oedd ei henw. Lladdwyd ei gŵr mewn damwain, os rwy'n cofio'n iawn, yn chwarel Dorothea, ond er ei bod yn fam i dri o fechgyn, ni rwystrodd hyn hi rhag parhau gyda'r lladd-dy yn y cefn. Hi fyddai'n lladd yr anifeiliaid ac yn eu darparu ar gyfer y siop. Byddai'n mynd o gwmpas i werthu cig yn y pentref, gyda cheffyl a throl. Ni wyddys yn iawn beth ddigwyddodd, ond ar ei ffordd o'r lladd-dy yn ei cheffyl a throl, dychrynwyd y ceffyl, a rhedodd i'r stryd fawr gan droi yn sydyn i'r chwith, a thaflwyd Mrs Griffith dros y wal i'r ffordd haearn bach. Lladdwyd hi yn y fan a'r lle. Cyn ei marwolaeth ddisymwth, llwyddodd i anfon ei thri mab i goleg diwinyddol i'w darparu yn weinidogion. Un ohonynt oedd Morgan Griffith, Pwllheli ac un arall oedd ei frawd, O.G. Griffith, Croesoswallt. Ordeiniwyd hwy yn weinidogion parchus er bod iaith y fam yn aml yn annerbyniol iawn gan bobl dduwiol y pentref.

Rhyw ganllath o siop Nantlle, yr oedd siop Rowland Williams. Yr oedd hon eto yn un o'r siopau mwyaf llewyrchus yn y pentref, a dyma'r unig siop yn fy nghyfnod i lle byddai nwyddau yn cael eu cludo gan drol a cheffyl. 'Poli' oedd enw'r gaseg y pryd hynny, ac yr oedd gennym ni feddwl y byd ohoni. Yr oedd mab Rowland Williams, Owi, wedi priodi Susanna, chwaer fy mam. Yr oedd Rowland

Williams yn uchel iawn ei barch gan y pentrefwyr, yn wahanol yn anffodus i'w fab. Bu 'Siwsi' farw'n ifanc o glefyd y darfodedigaeth (TB) ac yn ddall. Roedd hi'n fam i bedwar o blant bach pan ymadawodd â'r fuchedd hon.

Treuliai fy nghefndryd a minnau oriau yn chwarae gyda'n gilydd, naill ai'n crwydro'r ardal, neu yn y stabl gyda 'Poli' lle'r oedd peiriant arbennig i falu gwair yn fân ar gyfer y gaseg. Yr oedd llafn y gyllell yn anferth ac yn beryg bywyd, ond ni chafodd neb ddamwain erioed. Tu allan i'r stabl, yr oedd warws lle cedwid blawd ac Indian Corn i'w ddosbarthu i wahanol ffermydd yn yr ardal; ac nid yw siop groser yn haeddu'r enw os nad oes yno fecws. John Selwyn Edwards oedd y becar yno, John Sêl i ni, a byddem yn galw'n rheolaidd pan fyddai'n tynnu'r bara o'r popdy. Yr oedd John Sêl yn un o'r cymeriadau ffeindia dan haul, a byddem yn sicr o gael crystyn poeth ganddo, a oedd yn dderbyniol iawn gan fechgyn ar eu tyfiant. Er ei fod rai blynyddoedd yn hŷn na mi, bu'r ddau ohonom yn ffrindiau mawr am flynyddoedd, cyn i mi ymadael i'r Llu Awyr.

Rhwng siop Nantlle a'r stesion, yr oedd siop groser Tudur Jones. Yr oedd ei siop fel pin mewn papur bob amser, a sglein ar bopeth yno. Yr oedd yn flaenor parchus yng Nghapel Mawr Tal-y-sarn, ac fel Hywel Cefni, yr oedd yntau ychydig yn hirwyntog pan fyddai'n dadansoddi pregethau'r Sul yn y Seiat. Gŵr distaw iawn oedd yntau, ac yr oedd angen clustiau fel cath i glywed yr hyn a ddywedai.

Yng nghanol y pentref, yr oedd siop 'Robis', sef siop Robinson, ac yr oedd hon eto yn un lewyrchus iawn. Yn ôl Dr Gwynfor Pierce Jones, yr oedd Mr Robinson, perchennog y siop, yn frawd i'r John Robinson hwnnw a oedd yn un o bedwar a brynodd Chwarel Dorothea tua 1850. Yn fy nyddiau i, siop wag oedd hi, a siop wag fu hi yn ystod fy nghyfnod i yn Nhal-y-sarn. Drws nesaf iddi yr oedd y caffi, sef siop tsips a brynwyd gan Sadrach Evans. Yr oedd o a'i wraig yn hynod weithgar. Ar ddechrau'r tri degau yr agorwyd y siop tsips a byddai'r siop dan ei sang bron bob nos. Yng nghefn y siop tsips, yr oedd ystafell arbennig ar gyfer y 'cyfoethogion'. Nid oedd neb yn cael mynediad i'r fan honno os nad oeddent yn barod i wario dwy geiniog neu ragor. Yr oedd platiad o tsips a phys yn ddwy geiniog, a photel o Vimto eto'n ddwy geiniog. Ar ôl ennill yn y Band of Hope, byddem yn anelu yn syth i ystafell 'dwy niwc' yn y caffi. Byddai 'Sadi' hefyd yn gwneud ei hufen iâ ei hun, ac yr oedd yn flasus dros ben, ac ar ddiwrnod tesog yn yr haf, byddai yn mynd o gwmpas y pentref ar feic arbennig i werthu ei hufen iâ, ceiniog am gornet, a dwy geiniog am 'weffar'. Mewn ystafell uwchben y siop tsips, yr oedd ystafell 'billiards', ac yr oedd y clwb billiards yn llewyrchus iawn, er mai snwcer oedd ein prif gêm.

Yn ogystal â siopau groser, yr oedd yn y pentref bedair siop cigydd, a phob un yn brysur bob dydd o'r wythnos ond dydd Sul. Yng nghysgod Capel Mawr Tal-y-sarn, yr oedd y Siop Fawr, sef dwy o'r siopau mwyaf yn y pentref, y naill oedd siop gig Robat Jôs, perchennog fferm Dôl Pebin, a'r siop drws nesaf (a oedd ar gau yn fy nyddiau i), a fu, pan oedd fy nhad yn blentyn, yn siop ddillad lewyrchus – meddai Nain (ac ni fyddai hi byth yn dweud celwydd). Yng nghefn yr hen siop ddillad yr oedd ystafell gyda bwrdd billiards, a welsai ddyddiau gwell yn fy nghyfnod i, ond a fu ar un adeg, yn ganolfan i fechgyn ifanc y pentref, a'r henoed. Bûm yno unwaith neu ddwy, ond yr oedd cyflwr y bwrdd yn ddifrifol, gydag ambell i dwll yma ac acw yn y 'cloth' na welsai hetar smwddio ers dyddiau y Frenhines Victoria. Ond mynegwyd i mi y byddai 'Bardd yr Haf' a'i gymdeithion yn galw yno yn rheolaidd cyn y Rhyfel Byd Cyntaf, pan fyddai adref ar ei wyliau o'r coleg yn Aberystwyth.

Fel y crybwyllais eisoes, yr oedd siop 'Fanny', gwraig John Jones Talysarn, yn boblogaidd iawn yn hanner cyntaf y bedwaredd ganrif ar bymtheg, a phan symudodd y teulu i fyw i ganol y pentref, a'r capel newydd yn 1852, oherwydd bod rwbel o chwarel Tal-y-sarn wedi gorchuddio'r hen gapel a'r siop, adeiladodd Fanny siop newydd o'r enw Nantlle House, eto yn ymyl y capel newydd lle saif y Capel Mawr heddiw.

Yr oedd siop gig Robat Jôs yn enwog am ei hamrywiaeth o beis, 'penny ducks', brôn a sosejis, a'r cwbl wedi'u darparu yn yr ystafell enfawr o dan y siop. Yr oedd y cig a werthwyd yn lleol – y gwartheg a'r defaid a'r moch wedi pori glaswellt Dôl Pebin, 'lle bu gwartheg gwyrthiol Pebin' yn pori yn 'sblander bore' byd', yn ôl R. Williams Parry. Pan gerddech heibio'r siop ar ddiwedd dydd, pan fyddai cannoedd o ddynion yn cerdded adref, byddai chwa o arogl hudolus yn prysuro cerddediad y gweithwyr i gyrraedd adref ar gyfer eu 'bwyd caniad' cyn gynted â phosibl. Nid felly Dafydd Jôs ''Rhen Ffrind', tad yr enwog Barch. Idwal Jones, Llanrwst, y pregethwr enwog a sgriptiwr rhaglenni ardderchog ar gyfer plant a'r radio. Yr oedd arogl y cig yn stemio yn y ffenestr yn ormod o demtasiwn i'r hen Ddafydd Jôs, ac er nad oedd ond rhyw hanner can llath o'i gartref, i mewn i'r siop yr âi a bwyta 'penny duck' cyn cyrraedd y tŷ. Yr oedd yn fwytäwr heb ei ail yn ôl yr hanes.

Gan fod fy mam a'i theulu yn byw ychydig lathenni o'r Siop Fawr, yr oedd hi yn ffrindiau gyda merched Robat Jôs, ac o'r herwydd, byddem ni yn cael caniatâd gan Robat Jôs i chwarae ar gaeau ac adeiladau Dôl Pebin. Paradwys o le. Gallem redeg yn rhydd yn y caeau, ac yn arbennig chwarae yn y cwt gwair a'r 'sgubor. Yr oedd yno olwyn ddŵr anferth, gyda llyn wedi'i adeiladu yr ochr arall i'r ffordd i ddal dŵr yr afon a lifai o Gwm Dulyn i afon Llyfni. Yr oedd yn bosibl rheoli'r dŵr i redeg dros risiau'r olwyn nes byddai yn troi ar gyflymder aruthrol. Fel y dywedais, paradwys o le i blant. Yr oedd yno hefyd berllan hynafol, lle tyfai ceirios, eirin (a oedd yn hynod felys) ac afalau, ac nid oedd neb i'n rhwystro rhag bwyta, gormod yn aml. Byddaf yn meddwl o hyd am y berllan honno, ac am gerdd R. Williams Parry, 'Dyffryn Nantlle Ddoe a Heddiw' a gyfeiria at y fangre fendigedig hon:

Yn Nhal-y-sarn ers talwm,
Fel welem Lyfni lân;
A'r ddôl hynafol honno
A gymell hyn o gân.
Ac megis gwyrth y gwelem
Ar lan hen afon hud,
Y ddôl a ddaliai Pebin,
Yn sblander bore'r byd.

Ac eto pan ddaw'r hen berllan i'r cof, daw rhan arall o gerdd 'Angau' gan y bardd i'm meddwl:

Y mwyalch pêr a'i osgo
Mor brydferth ar y brig;
Mae pwt o bridd y berllan
Yn maeddu aur dy big.

Roedd Dôl Pebin a'r Siop Fawr yn agos iawn at fy nghalon, a theulu Robat Jôs yn ogystal. Nid oes yn Nôl Pebin bellach ond stâd o dai annedd, ac adfeilion o'r cwt gwair a'r ysgubor a'r beudai.

Rhyw hanner canllath o'r Siop Fawr, ar fin y briffordd a arweiniai i gyfeiriad Pen-y-groes, yr oedd siop gigydd arall, sef siop William Owen y cigydd. Siop gymharol fechan oedd hon, o'i chymharu â siop Robat Jôs, ond ni welais siop lanach erioed. Ar ôl cau ar ddiwedd y dydd, byddai William Owen a'i wraig yn treulio oriau yn glanhau pob erfyn yn y siop, gan gynnwys y bonyn derw lle byddent yn torri a rhannu'r cig. Yr oedd sglein ar bopeth yr oedd yn bosibl ei sgleinio. Byddai William Owen, fel pob cigydd arall yn lladd ei anifeiliaid ei hun yn y lladd-dy wrth y stesion, anifeiliaid lleol wrth gwrs, ac ar ôl trin yr anifeiliaid, darparai hwy ar gyfer y siop. Gosodwyd y cig yn y ffenestr yn daclus a deniadol ar gyfer ei gwsmeriaid.

Rhyw ganllath ymhellach ar hyd y ffordd fawr, yr oedd siop gigydd Ifan Jôs. Yr wyf yn ei gofio yn dda pan oedd yn ŵr oedrannus, ac yn rhy fusgrall i weithio yn y siop. Ei ferch Beatrice fyddai'n gofalu am werthu'r cig; hi fyddai yn ei ddarparu ar gyfer ei chwsmeriaid. Yr oedd yno fab hefyd, ond Beatrice oedd y 'bòs' yn ddi-os. Yr oedd un siop cigydd arall ar draws y ffordd i'r stesion, ond ni fyddem ni yn mynd mor bell â hynny i brynu cig.

Dyna ni wedi cyfeirio at y siopau groser a'r cigyddion. Gadewch i ni yn awr edrych ar y ddwy siop ddillad yn y pentref, sef siop Hywel Cefni Jones (1855-1941). Ni welais, ac ni chlywais am neb yn prynu 'run dilledyn yno erioed. Ar un cyfnod bu'n llewyrchus iawn, yn gwerthu trowsusau a chrysau addas ar gyfer gwaith yn y chwarel. Hefyd byddai'n gwerthu siwtiau o bob math ar gyfer galwadau arbennig. Teiliwr ydoedd wrth ei alwedigaeth, wedi'i brentisio yn Druid House, Llangefni. Yr oedd pob dilledyn yn y siop wedi'i osod wrth ei gilydd gan y perchennog. Yr oedd yn ŵr annibynnol iawn, a hynod dawedog ar y cyfan, a hyd yn oed pan fyddai'n siarad yr oedd yn rhaid i rywun gael clustiau fel cath i'w glywed. Ef oedd pen blaenor Capel Mawr Tal-y-sarn, ac yr oedd wedi dewis ei le arbennig yn y Sêt Fawr yn ystod y gwasanaethau. Gosodai ei fraich dde ar ganllaw y Sêt Fawr, a gosodai ei ben i orffwys ar ei law. Yr oedd ein sedd ni yn y capel yn y galeri, ac felly, pan edrychwn i gyfeiriad y pregethwr yn y pulpud, byddai pen moel a sbectol haearn Hywel Cefni yn gyson yn fy ngolwg. Un bore Sul, a'r pregethwr yn mynd ymlaen ac ymlaen yn ddi-dor, a heulwen haf yn denu i'r awyr agored, mentrais wneud darlun o'r hen gymeriad ar dudalen olaf fy Llyfr

Emynau, ac o edrych arno heddiw ni fuasai neb yn ei adnabod ond fi, a phe gwelech y darlun, gosodech yng nghyfnod surealaeth. Mae'n rhyfedd fel mae rhai atgofion yn aros yn y cof ar ôl yr holl amser; gwelaf ef y funud 'ma gyda'i ben ar ei law, ei gôt ddu a'i choler felfed, a'i sbectol ar flaen ei drwyn.

Nid oes amheuaeth nad oedd yn ŵr diwylliedig a deallus, ond O! byddai pawb yn ochneidio pan fyddai ef yn codi ar ei draed ar ddiwedd y gwasanaeth i roddi braslun o gynnwys y pregethau a glywsid yn ystod y dydd. Byddai'n dadansoddi'n fanwl, a phawb yn awyddus i fynd adref am damaid o swper. Ond er hynny, yr oedd pawb yn ei barchu.

Yr oedd Hywel Cefni yn fardd a drwythodd ei hun yn y cynganeddion a mesurau caeth ein barddoniaeth. Yr oedd yn feistr ar Gerdd Dafod. Enillodd nifer o wobrau mewn eisteddfodau am gyfansoddi englyn ac enillodd y wobr gyntaf yn Eisteddfod Genedlaethol Caernarfon yn 1906 am englyn i'r Prif Weinidog, Asquith oedd hwnnw mae'n debyg. Yr oedd galw mawr arno hefyd i ysgrifennu englynion coffa i anwyliaid, ac ymddengys nifer ohonynt ar gerrig beddi ym mynwent Macpela ym Mhen-y-groes. Ef oedd athro barddol cyntaf R. Williams Parry, a chydnebydd 'Bardd yr Haf' ei ddyled iddo yn ei ragymadrodd i *Yr Haf a Cherddi Eraill*. Bendith i'w lwch. Ni fyddai'n cyfathrebu rhyw lawer â ni'r 'plebs', ond parchem ef er hynny.

Dyma i chwi englyn a gyfansoddodd i'r Injan Fawr:

Darperir drwy y peiriant – i herio
Y garwaf lifeiriant,
O'i meddu y canfyddant
Byth yn hwy obaith y 'Nant'.

Derbyniais gopi o'r englyn hwn gan chwarelwr diwylliedig, sef Ifan John Jones, 9 Brynderwen Terrace (Ifan John Parc).

Yr oedd un siop ddillad arall yn y pentref, sef siop Alf Henderson. Byddai llawer mwy o gwsmeriaid yn mynychu ei siop ef na siop Hywel Cefni. Cyn belled ag yr oedd merched Tal-y-sarn yn y cwestiwn, yr oedd Alf 'with it'. Yr oedd ef yn hollol wahanol i Hywel Cefni, yn llawer mwy allblyg, a brwdfrydig gyda phopeth a'i diddorai. Brodor o bentref Nantlle oedd yn wreiddiol, ac yn un o deulu hynod gerddgar. Yr oedd yn aelod o Seindorf Arian Dyffryn Nantlle ac yn gornedwr heb ei ail, a hyd yn oed yn y dyddiau pell hynny, yr oedd ei ddawn fel cornedwr yn gyfarwydd i fandiau tu allan i Gymru, ac o ganlyniad, derbyniodd swydd gyda band enwog Prescot, cyn dychwelyd yn ddiweddarach i ardal ei febyd i agor siop ddillad ar draws y ffordd i'r stesion yn Nhal-y-sarn. Yn ogystal â'i ddawn fel cornedwr, yr oedd yn dra chyfarwydd ag elfennau cerddoriaeth; bu'n arweinydd Band Nantlle ar un adeg. Un o fechgyn y dyffryn oedd o yn bendant, a hoffai gwmni ei gyfoedion. Yr oedd yn saethwr da iawn, ac o ganlyniad, hoffai hela gyda'i gyfeillion. Er bod stâd Glynllifon yn frith o giperiaid, yno y byddai Alf yn mynd, ac yn ddieithriad, dychwelai gyda ffesant neu ddau – neu dri. Fel y crybwyllais eisoes, byddai Megan, ei ferch a minnau'n canu llawer gyda'n gilydd, a thristwch i mi oedd clywed am ei marwolaeth yn ddiweddar. Yr oedd hi yn ddi-os wedi etifeddu dawn gerddorol ei thad; yr oedd yn bianydd medrus ac yn gantores. Yr oedd hi yn ferch amryddawn, ac ar ôl graddio mewn botaneg ym Mhrifysgol Bangor, penodwyd hi yn ddarlithydd yn yr adran honno.

Cyfeiriodd Gwilym R. Jones yn ei hunangofiant at un siop groser nad oeddwn yn gyfarwydd â hi, sef siop 'Lias Jôs'. Cyfeiria Gwilym R. ato fel hen ŵr hynod grintachlyd. Y siop hon, gyda llaw, a brynwyd gan 'Sadi' Evans i agor ei siop tsips.

Yr oedd un gwesty yn y pentref, sef y Nantlle Vale Hotel; tŷ ydoedd ar un adeg a adeiladwyd gan Thomas Lloyd Jones, mab John Jones, Tal-y-sarn. Enw'r tŷ oedd Brynavon (sic), ac yr oedd yn glamp o dŷ, oherwydd fe'i prynwyd ar ddiwedd y bedwaredd ganrif ar bymtheg a'i ddefnyddio fel gwesty. Yr oedd yn adeilad urddasol, ac yno y byddai fy nain yn gweini cyn iddi briodi fy nhaid. Byddai'r adeilad dan ei sang ar nos Wener a nos Sadwrn, pan fyddai pechaduriaid y pentref yn cyfarfod i drafod newyddion yr wythnos, ac i ganu'n hynod swynol ar ôl 'stop tap'. Byddai yno ambell ymladdfa hefyd, a ninnau'r plant yn gegrwth yn eu gwylio, ac yn aml, yn ceisio eu dynwared trwy dorchi llewys ac ymladd â'n gilydd. Ceid llawer o 'drwynau coch' ar nosweithiau o'r fath.

Un cymeriad hoffus dros ben oedd William Ŵan 'runs'. Yr oedd ef yn berchen nifer o geffylau gwedd a dynnai'r wagenni haearn yn llawn llechi i stesion Tal-y-sarn o chwarel Penyrorsedd. Yr oedd Wil yn un o'r cwsmeriaid ffyddlonaf yn y Nantlle Vale Hotel, a threuliai oriau gyda'r cwrw melyn bach – ac nid ar nos Wener a nos Sadwrn yn unig. Unig blentyn oedd Wil, yn byw gyda'i fam heb fod ymhell o chwarel Penyrorsedd, ond rywfodd neu'i gilydd, cafodd flas ar y cwrw, nes oedd hwnnw'n feistr corn arno. Nid oedd y ffordd haearn lle teithiai'r ceffylau a'r wagenni ar eu ffordd i'r stesion ond lled cae o'r Nantlle Vale, ac ar ddiwrnod tesog yn yr haf, byddai'r hen Wil yn gadael y ceffylau a'r wagenni ac yn ei brasgamu i'w baradwys. Ymhen amser, gwyddai'r ceffylau yn iawn am wendid eu meistr, a byddent yn aros yn eu hunfan heb unrhyw orchymyn gan Wil, a'i ddisgwyl yn ôl yn hollol amyneddgar. Cofiwch chwi, yr oedd syched Wil, haf neu aeaf yn hirymaros. Trist iawn oedd clywed heddiw (16 Tachwedd, 2006), bod y Nantlle Vale Hotel wedi galw 'stop tap' am y tro olaf.

Hanes crefydd ym mhentref Tal-y-sarn

Yn y gyfrol hon rwy'n ddyledus i gyfrol W. Hobley, *Hanes Methodistiaeth Arfon;* traethawd buddugol y Parch. W.R. Ambrose, 'Nant Nantlle' a llyfryn Thomas Lloyd Jones, mab John Jones, Tal-y-sarn, *Hanes Dechreuad a Chynydd Methodistiaeth yn Llanllyfni, Nantlle, Ffridd Talysarn, Cesarea, Baladeulyn a Hyfrydle.*

Fel y crybwyllais eisoes, ni chyrhaeddodd pentref Tal-y-sarn ei lawn dwf hyd ail hanner y bedwaredd ganrif ar bymtheg, er bod chwarelwyr yn gweithio yn y chwareli cynnar ers diwedd y ddeunawfed ganrif. Ond fel y disgwyliech, ychydig iawn o deuluoedd a drigai yn yr ardal yn y dyddiau cynnar hynny. Ond fel y datblygai'r chwareli, ac yr agorwyd mwy ohonynt, cynyddodd y boblogaeth.

Pur anwar oedd y gymdeithas yn y dyddiau cynnar, gyda chymysgedd o ddynion o wahanol rannau o Wynedd a Môn. Yr eglwys agosaf oedd St Rhedyw, Llanllyfni, rhyw bedair milltir i ffwrdd, a hon oedd eglwys y plwyf. Yr oedd goryfed, ymladd a chwaraeon o bob math yn weithgareddau cyffredin ar y Sul yn Nhal-y-sarn; nid oedd Sancteiddrwydd y Sabath yn bwysig.

Yn ôl y Parch. W.R. Ambrose, gweinidog gyda'r Annibynwyr yn Nhal-y-sarn ar ddiwedd y bedwaredd ganrif ar bymtheg, yr Annibynwyr ' . . . oeddynt y rhai cyntaf o'r cyfundrefnau a ddechreuasant bregethu yn y gymdogaeth hon' ('Nant Nantlle', t. 65), a dyma oedd barn William Hobley.

O ardaloedd amaethyddol Gwynedd a Môn y daeth y gweithwyr cyntaf i weithio yn y chwareli cynnar. Yr oedd tlodi dychrynllyd ym myd amaeth y pryd hynny, ac yr oedd y diwydiant newydd yn y chwarel yn sicrhau bwyd i wragedd a phlant, er bod y gwaith yn hynod galed a pheryglus.

Daeth nifer ohonynt o Lŷn, yn arbennig tref Pwllheli, ac yn eu plith gŵr o'r enw Michael Owen, a fuasai yn aelod yng nghapel yr Annibynwyr yn y dref honno, sef capel enwog Penlan. Yr oedd ' . . . anfoesoldeb ei gydweithwyr yn ei boeni'n ddirfawr' (Hobley). Yn ystod yr awr ginio yn chwarel Gloddfa Goed, byddai'r gŵr duwiol hwn yn penlinio i weddïo, er mawr ddifyrrwch i'w gydweithwyr, ond yn raddol trodd y dirmyg a'r difyrrwch yn barch, ac ymunodd mwy a mwy o'i gydweithwyr yn y gwasanaeth awr ginio hwn. Ymhen amser, gorfu iddynt symud o'u caban i adeilad arall gerllaw, gan fod y nifer o addolwyr yn cynyddu, a phan ymwelai y Parch. W. Hughes o bentref Seion (ger Caernarfon) fel pregethwr teithiol â'r pentref, gorfu i'r addolwyr symud i hen ffatri yn y chwarel i wrando'r bregeth, yn arbennig pan fyddai'r tywydd yn oer a llaith. Atgyweiriwyd yr hen ffatri hon gan y gweithwyr, i'w gwneud yn addas i wrando gair Duw, ac yma y cynhaliwyd yr eglwys Annibynnol gyntaf yn Nhal-y-sarn. Defnyddiwyd yr adeilad hwn am hanner can mlynedd a mwy, nes adeiladu capel mawreddog Seion yn Cavour Street (dyma'r unig gapel yn y pentref heddiw).

Ond yr oedd Methodistiaeth wedi cyrraedd y dyffryn cyn hyn. Yn Llanllyfni y cyfarfu y dyrnaid hyn o Fethodistiaid am y tro cyntaf, mewn tŷ annedd o'r enw Buarthau, led cae o'r hen ffordd a arweiniai o Lanllyfni i Dal-y-sarn. Perchennog y tŷ oedd William Williams, ac yn ôl yr hanes, ef oedd y cyntaf o Lanllyfni i wrando ar bregeth gan Fethodist yn ffarm Berth Ddu Bach ger Clynnog, yn

1758. Erbyn 1763/4, yr oedd rhyw hanner dwsin o addolwyr wedi ymuno â'r gymdeithas honno, gan gynnwys Catherine Jones, gwraig Robert Thomas fferm y Ffridd, Baladeulyn, ar lan Llyn Uchaf Nantlle. Yr oedd Robert Thomas, y Ffridd yn un o ymladdwyr ffyrnicaf y dyffryn, ac ar ei ffordd i ymladd dynion ifanc Clynnog clywodd ganu yn nhŷ Edward y teiliwr, Capel Ucha'. (Credir mai yng Nghapel Ucha' yr agorwyd capel cyntaf y Methodistiaid yn y dyffryn.) Aeth i mewn i'r tŷ er mawr syndod a braw i'r addolwyr, ac arhosodd yno i wrando ar bregeth a gweddïau, a chanu bid siŵr. Cafodd dröedigaeth yn y fan a'r lle, a dychwelodd i'w gartref yn y Ffridd, er mawr syndod, ond llawenydd i'w wraig. Yma, yn ffarm y Ffridd y cynhaliwyd gwasanaethau am y tro cyntaf gan y Methodistiaid. Yma y byddai'r Methodistiaid cynnar yn cyfarfod ar y Sul i wrando pregeth, ac yn ddiweddarach i fynychu Ysgol Sul yn 1806 yn ôl Thomas Lloyd Jones.

Yn ôl y gŵr hwnnw – a William Hobley – ar ei ffordd i Lŷn i ymladd yn fan honno yr oedd Robert Thomas pan gafodd ei dröedigaeth. Yn ôl y ddau ohonynt, bwriad Robert Thomas y diwrnod hwnnw oedd lladd y pregethwr o Fethodist oedd yn pregethu yno, ond y diwrnod tyngedfennol hwnnw dylanwadodd cynnwys y bregeth a'r canu yn drwm arno. Yn ddiweddarach, sefydlwyd Ysgol Sul yn ffarm Gelli Ffrydau cyn adeiladu'r capel cyntaf gan y Methodistiaid yn Nhal-y-sarn yn 1821. Parhaodd yr Ysgol Sul hon yng Nghapel Mawr Tal-y-sarn yn ddi-dor hyd ddiwedd yr ugeinfed ganrif.

Erbyn chwarter cyntaf y bedwaredd ganrif ar bymtheg, yr oedd nifer poblogaeth Tal-y-sarn wedi cynyddu, ac oherwydd y diddordeb arbennig mewn crefydd yn Nantlle, daeth galwad am gapel i enwad y Methodistiaid Calfinaidd yn Nhal-y-sarn, ar gyfer y cynnydd yn y boblogaeth. Ond yr oedd yn anodd cael tir i adeiladu capel arno. Catrin Roberts, ffarm Coedmadog a fu'n gyfrifol am gael tir trwy gyfrwng ei mab, Griffith Williams, a oedd ar y pryd, yn oruchwyliwr yn chwarel Tal-y-sarn. Llwyddwyd i gael prydles am 99 o flynyddoedd, ac ardreth o gini y flwyddyn. Ymddengys bod y fangre yr adeiladwyd y capel arni yn llannerch hynod ddymunol, lle gallech weld yr holl ddyffryn o'r naill ben i'r llall.

Ordeiniwyd John Jones yn 1829, er ei fod wedi bod yn byw yn yr ardal ers 1823. Penodwyd ef yn weinidog y capel, ac yr oedd safle ganolog pentref Tal-y-sarn yn ddelfrydol iddo gyflawni ei alwadau pregethwrol. Yn y tŷ a oedd ynghlwm wrth y capel yr ymsefydlodd John Jones a'i wraig, Fanny, a'u plant niferus hyd 1852. Y flwyddyn honno gorfu iddynt ymadael o'r tŷ capel oherwydd bygythiad tomen rwbel o chwarel Tal-y-sarn i orchuddio'r capel a'r tŷ. Adeiladwyd capel amgenach ar fryncyn ynghanol y pentref. Yr oedd yn y capel newydd 350 o eisteddleoedd ar gyfer y cynnydd yn y boblogaeth.

Erbyn saith degau'r ganrif, sylweddolwyd nad oedd y capel yn ddigon mawr ar gyfer yr addolwyr, felly adeiladwyd capel newydd ar sail capel 1852, gyda 700 o eisteddleoedd. Agorwyd y capel yn 1877, a dyma oedd Capel Mawr Tal-y-sarn, y byddwn i yn ei fynychu yn rheolaidd yn nau ddegau a thri degau'r ganrif olaf.

Yr oedd John Jones yn weinidog dylanwadol iawn, a theithiai lawer i wahanol ardaloedd yng Nghymru a Lloegr. Os ydych am fwy o wybodaeth am y gŵr unigryw hwn, darllenwch ddwy gyfrol y Parch. Owen Thomas, gweinidog gyda'r Methodistiaid yn Lerpwl, a thaid Saunders Lewis. Merch Owen Thomas oedd mam Saunders Lewis. Teitl y ddwy gyfrol yw *Cofiant John Jones Talysarn*, ac o'r myrdd o 'gofiannau' a gyhoeddwyd yn y bedwaredd ganrif ar bymtheg, yn ôl R. Williams Parry, dyma'r orau o bell ffordd.

Yr wyf am gynnwys yma ychydig eiriau am John Jones y cerddor, am na ellir gwahanu crefydd a cherddoriaeth. Yr oedd John Jones yn gerddor dawnus, er mai ychydig iawn o hyfforddiant a gawsai yn ei ddyddiau cynnar yn Nolwyddelan. Hunan-ddysgedig ydoedd mewn gwirionedd, ar wahân i rai gwersi a dderbyniodd gan John Ellis (1760-1839). Roedd yn siopwr yn Llanrwst, ac er mai cerddor hunan-ddysgedig ydoedd, fe'i apwyntiwyd gan henaduriaid y Methodistiaid i fynd o gwmpas y capeli i ddysgu canu'r emynau newydd i'w haelodau. Oherwydd prinder hyfforddiant, prin iawn oedd gwybodaeth John Jones am elfennau cerddoriaeth. Ar ddiwedd ei oes, yn y pum degau, byddai'n galw i weld cerddor blaenllaw ym Mangor, sef Morris Davies, organydd yng nghapel Twrgwyn, gydag emyn-dôn a gyfansoddwyd ganddo. Meddai Morris Davies:

> . . . tua diwedd ei oes, cymerai ddiddordeb mawr mewn cyfansoddi tonau. Mi a dderbyniais nifer ohonynt ganddo ef ei hun o fewn tair blynedd olaf ei oes . . . ysgrifennai hwynt mewn nodau o'r un hyd, ran amlaf, ond nid yn fanwl, ac heb arwyddion cyweiriadau (keys), na dynodi yr hanner tonau etc. . . . ond y maent yn lled hawdd i'w gwneud allan i un a fuasai'n cyd-ganu ag ef. Ysgrifennwyd rhai ohonynt wrth ei glywed ef yn eu canu. Cynganeddwyd chwech o'i donau yn y casgliad 'Jeduthun' gan amryw o'i gyfeillion, a minnau sy'n gyfrifol am drefniad a chynganeddiad y gweddill ohonynt.

Cyfansoddwr wrth reddf ydoedd, ac er mai prin oedd ei wybodaeth o elfennau ac egwyddorion cerddoriaeth, gallai gyfansoddi tonau canadwy iawn, fel y dôn 'Llanllyfni' a 'Tanycastell'. Fel ei dad John Jones, yr oedd yn berchen llais cyfoethog iawn, ac oherwydd y reddf gerddorol hon, treuliodd lawer o amser yn Llanllyfni yn cynnal cyfarfodydd canu i bobl ifanc y cylch, a phan ordeiniwyd ef yn 1829, parhaodd i ddenu pobl ifanc i'w gyfarfodydd canu yn Nhalysarn. Yn ystod y cyfarfodydd hyn yn Llanllyfni y syrthiodd mewn cariad â Frances (neu Fanny), merch Thomas Edwards, perchennog ffarm y Taldrwst rhwng Llanllyfni a Thalysarn.

Yn hanner cyntaf y bedwaredd ganrif ar bymtheg, nid oedd gweledigaethau a diwygiadau yn ddigwyddiadau anghyffredin. Mewn erthygl, 'Cyflwynedig i fy Mam, Mrs Fanny Jones, Talysarn', cyfeiria Thomas Lloyd Jones, ei mab, at ddau ddiwygiad yn ystod y cyfnod hwn, y naill yn 1840 a'r llall yn 1859. Yn 1840 yng nghyfarfod gweddi y merched a gynhelid ar ddydd gwaith y torrodd y diwygiad allan, yng nghapel cyntaf y Methodistiaid yn Nhal-y-sarn, a'r merched hyn oedd yr elfen gyntaf yn y diwygiad hwnnw.

Cyfeiria Thomas Lloyd Jones at ddiwygiad grymus arall a ddigwyddodd yn 1859 trwy rannau helaeth o Gymru:

> Dechreuwyd yr adfywiad mewn cyfarfod gweddi o ddiolchgarwch am y cynhaeaf ym mis Hydref. Yr oedd yn arferiad cynnal pedwar cyfarfod y dydd, sef am wyth o'r gloch y bore (ond dim ond ychydig fyddai yn y cyfarfod hwnnw), am ddeg o'r gloch, am ddau ac am chwech o'r gloch.
>
> Dechreywyd cyfarfod y bore gan un Harry Pritchard, Penhafodlas. Gŵr heb un neilltuolrwydd yn perthyn iddo mewn dawn na gwybodaeth, ond yn arwain bywyd pur ddiargyhoedd a lle i gasglu ei fod yn cymdeithasu gyda Duw. Ond ar weddi y bore rhyfedd, cafodd rhyw oleuni o nerth o'r nefoedd, nes iddo godi ar ei draed ar ganol gweddïo, ac yn anerch y nefoedd yn y fath hwyl nefolaidd, a chyda'r fath hyawdledd ysbrydol, a oedd yn

> anrhaethol uwchlaw dim allai wneud yn ei nerth a'i allu ei hun . . . ac yr oedd yn creu syndod a dychryn yn gymysg â gorfoledd yn y rhai oedd yn gwrando. Parhai felly am tuag awr o amser nes oedd ei natur yn llesgau. Ni fu byw yn hir ar ôl hyn . . . tybiai rhai eu bod yn teimlo awel o wynt nerthol yn dod i mewn i'r addoldy, ac mewn dychryn, plygent eu pennau ar ymyl yr eisteddleoedd.

Ysgrifennodd Thomas Lloyd y disgrifiad hwn yn *Dechreuad a Chynydd Methodistiaeth yn Llanllyfni, Nantlle, Talysarn* ayyb bymtheng mlynedd ar ôl y digwyddiad.

Gweledigaeth arbennig iawn gafodd Gwen Jones, merch John Jones Tal-y-sarn. Ganwyd hi yn 1838, ac ychydig cyn diwygiad 1859, tra'n sefyll yn nrws y tŷ gyda'r capel ar y dde:

> Gwelai yr awyr yn ddugoch, a thonnau perfforaidd yn ymdaflu drosto. Teimlai arswyd yn ei meddiannu, megis wrth ddyfodiad y Farn. Ar hynny, dyna ganu yn yr awyr, ac yn y man, floedd soniarus yn ateb allan o'r capel. Ac felly am ennyd, cân a bloedd gorfoledd yn cydateb ei gilydd. A hi yn crynu dan ddylanwad yr amgylchiadau rhyfedd, wele'r Aglwydd Iesu yn sefyll ar y mur isel o flaen y drws. Angylion ehedent o'i amgylch. Methu ganddi godi ei llygaid i edrych ar ei wynepryd. Hi a welai y gwefusau, ond atelid golwg ei lygaid oddiwrthi. Ar hynny, wele lew cryf yn sefyll wrth ei ymyl ef. Codai ei ddwy bawen, megys am larpio y Gŵr. Yntau heb gymryd arno ei weled, a barodd i'w rith ef ddiflannu ag amnaid ei law. Ar amrantiad, dyna gôr yr wybr a chôr y capel yn cyd-daro mewn bloedd gorfoledd 'Had y wraig a ddrylliodd ben y sarff'. Wele fam Gwen yn nrws y tŷ cyn i'r cwmwl goleu dderbyn yr Iesu, ac fel

yr esgynai Ef, gwelai Gwen ei wyneb yn llawn, a chyfryw olwg arno nas gellid ei thraethu. Ac meddai ei mam yr un pryd, 'Dacw y Duw y gobeithiais ynddo'.

W. Hobley, *Hanes Methodistiaeth Arfon,* t.199

Gwen oedd mam yr enwog John Glyn Davies, ysgolhaig, bardd, cerddor. Ef oedd y gŵr a roddodd cymaint fwynhad i blant Cymru yn y tri degau gyda'i gasgliad o ganeuon môr a shantis, sef 'Fflat Huw Puw'.

Ond cyfnod cynhyrfus iawn oedd hwnnw yn hanner cyntaf y bedwaredd ganrif ar bymtheg, a gallwn ddweud yn bur hyderus, mai hwn oedd cyfnod euraid yr enwadau anghydffurfiol yng Nghymru. Dyma pryd y byddai 'hoelion wyth' y cyfnod yn pregethu tân a brwmstan, ac yn llafarganu rhannau o'u pregeth i gapeli orlawn. Dyma gyfnod y Diwygiadau a gynhyrfai'r genedl i'w sail, a dyma gyfnod y gweledigaethau i unigolion a oedd yn gyfrifol yn aml iawn am y diwygiadau hyn. Dyma'r cyfnod y byddai chwarelwyr gogledd Cymru a glowyr y De yn cynnal gwasanaethau naill ai yn eu caban yn ystod eu hawr ginio, neu ym mherfedd y ddaear yn y pwll, lle byddai canu emyn neu emynau yn boblogaidd iawn. Dyma pryd y trafodent bynciau diwinyddol wedi'u seilio ar y bregeth a glywsant ar y Sul yn eu capeli.

Erbyn fy nghyfnod i yn Nhal-y-sarn, yn nau ddegau a thri degau'r ugeinfed ganrif, diflanasai cynnwrf y ganrif flaenorol i raddau helaeth, ac fe ddisodlwyd brwdfrydedd y cyfnod cynnar gan barchusrwydd yr ugeinfed ganrif. Dychwelasai cannoedd o wŷr ifanc o erchylltra y Rhyfel Byd, 1914-18, a throi cefn yn llwyr ar grefydd y capeli a'r eglwys. Ganrif ynghynt, yr oedd eu ffydd yn ddigwestiwn, ond erbyn dau ddegau'r ganrif ddilynol yr oedd ffydd yn llawer mwy glastwraidd. Yr oedd ffydd llawer o'r cyn-filwyr yn bur simsan ar ôl y rhyfel. Anodd iawn oedd anghofio erchylltra y ffosydd, a'r ffrindiau a'r perthnasau na ddychwelent byth i'w hen gynefin ac wedi'u claddu 'dan bridd tramor'. Y cwestiwn a ofynent oedd 'B'le roedd Duw?', a chlywais â'm clustiau fy hunan nifer fawr o ddynion yn gofyn y cwestiwn, ac yn troi cefn ar grefydd eu cyndadau.

Glastwreiddiwyd ffydd, ac yr oedd gwisgo siwt ar y Sul yn dra phwysig. Gwisgai'r merched eu hetiau mwyaf lliwgar, ac os byddai gwraig wedi prynu het newydd, byddai'n ddieithriad yn cerdded i'w sedd pan fyddai'r gwasanaeth ar fin dechrau, yng ngwydd pawb, fel cynffon paen. Nid gormodiaith yw hyn; yr wyf yn cofio'r perfformans yn iawn. Ond cofiwch, nid oedd y gor-barchusrwydd hwn yn ddrwg ynddo'i hun, oherwydd byddai gwisgo siwt ar y Sul yn rhoddi inni'r syniad ein bod yn dilyn un o ofynion y Deg Gorchymyn, hynny yw, ein bod i orffwys ar y Dydd Sabath ac addoli 'Yr Arglwydd dy Dduw' yn ei deml.

Ond er yr agwedd wahanol hon tuag at grefydd, byddai Capel Mawr Tal-y-sarn yn gyfforddus lawn yn y gwasanaeth boreol a hwyrol am 10 a 6 o'r gloch. Byddai'r Ysgol Sul mor llewyrchus ag erioed, a byddai'r cyfarfodydd canu am 1 a 5 o'r gloch yn foddhaol ac yn sicrhau canu o safon.

Dyma'r awyrgylch grefyddol y'm magwyd ynddi. Yr oedd crefydd yn rhan hanfodol o'n bywyd beunyddiol, ac yr wyf yn ddiolchgar iawn i Mam a Nain am sicrhau fy mod yn mynychu'r gwasanaethau crefyddol yn rheolaidd, yn arbennig y cyfarfodydd canu.

Yr oedd fy nain a'm taid yn byw yn rhif 2 Eivion Terrace, a Mam a 'nhad a minnau yn rhif 14. Wedi i mi ddechrau cerdded, byddwn yn treulio mwy a mwy o amser gyda Nain yn rhif 2. Yr oedd yn nain ddelfrydol, gyda'i gwallt claerwyn, ei cherddediad urddasol a'i gwên garedig i bawb bob amser. Yr oedd yn ei chwe degau pan welais i olau dydd am y tro cyntaf. Yn ogystal â'i hymddangosiad urddasol, yr oedd yn llawn hiwmor, ond gwyddwn yn iawn, yn gynnar yn fy oes, sut i ymddwyn; yr oedd yn ddisgyblwraig heb ei hail.

Ganwyd hi ym mhentref Tal-y-bont, sef rhes bach o dai ar fin y ffordd rhwng Llanystumdwy a Phwllheli, mwy neu lai ar draws y ffordd i brif fynedfa Gwersyll Butlin's heddiw. Llongwr fuasai ei thad, a hwyliai'n rheolaidd o'r porthladdoedd bychain o gwmpas Pwllheli, gan gynnwys Porth Dinllaen. Richard Owen oedd ei enw, a bu farw o'r clefyd Typhoid, a chladdwyd ef yn Rotterdam. Ganwyd fy nain yn 1860, a phan fyddai'r ddau ohonom yn eistedd o flaen tanllwyth o dân yn y gaeaf, hyfrydwch perffaith i mi fyddai gwrando arni, yn ei dull dihafal ei hun, yn adrodd hanesion am ei phlentyndod yn Eifionydd. Byddai'r teulu yn mynychu capel y Methodistiaid ym Mhenychain ar y Sabath, a'r plant yn ddisgyblion yn Ysgol yr Eglwys yn Llanystumdwy, pellter o rhyw ddwy filltir. Oherwydd tlodi'r teulu ar ôl marwolaeth y tad, cerddent i'r ysgol ar ben y cloddiau pridd bob ochr i'r ffordd, gyda'u hesgidiau wedi'u clymu am eu gwddf, er mwyn arbed lledr a chost y crydd. Y bachgen bach a eisteddai y tu ôl iddi yn yr ysgol oedd David Lloyd George, ac yn ôl fy nain, pur anaml y byddai'n ymolchi. Ar ddechrau'r tri degau yr oedd Nain a minnau yn Eisteddfod Genedlaethol yr Urdd ym Machynlleth, a thra'r oeddem yn cerdded yn y dref, daethom wyneb yn wyneb â'r gŵr mawr ei hun, ac ar unwaith, meddai 'Sut wyt ti Anne?' ac meddai hithau, 'Reit dda diolch Dafydd, sut wyt ti?' a chafodd y ddau ohonynt sgwrs fer ddifyr gyda'i gilydd.

Byddai'r ddau ohonom yn cerdded i fyny'r llechwedd i gasglu eithin crin i gychwyn tân yn y bore, gan osod yr eithin i sychu yn y simdde dros nos. Byddem hefyd yn crwydro'r llechwedd a rhai o'r tomennydd i gasglu mwyar duon; yr oedd yr hen wraig yn gogyddes ardderchog, a gwyddai sut i wneud jam mwyar duon blasus dros ben. Hefyd byddem yn casglu ffrwyth y ddraenen ddu, sef eirin bach tagu, a byddai yn gwneud gwin ardderchog, neu felly y byddai 'nhad yn dweud (ac fel hen longwr, yr oedd ef yn 'connoisseur' yn y maes). Byddai'r ddau ohonom, ar ôl casglu ffrwyth yr ysgawen, yn eistedd yn amyneddgar o flaen y tân yn y gegin, yn gwthio nodwydd i bob un o'r eirin bach, er mwyn sicrhau y byddai'r sudd yn llifo allan ohonynt. Hi hefyd a ddangosodd i mi sut i wneud cannwyll frwyn. Dyna fy nain, ac y mae gennyf feddwl y byd ohoni o hyd.

Ond beth meddech chwi sydd a wnelo disgrifiad o Nain â chrefydd? Fel y dywedais eisoes, byddwn yn treulio oriau yn ei chwmni, a hi yn ddi-os a'm cyflwynodd i bwysigrwydd crefydd yn fy mhlentyndod cynnar. Hi fyddai'n sôn wrthyf am Dduw a Iesu Grist. Hi fu'n gyfrifol am ddysgu'r pader i mi, a sut i benlinio wrth y gwely a'm dwylo ymhleth i adrodd 'Ein Tad'. Hi fyddai'n adrodd hanesion wrthyf am arwyr y Beibl, cymeriadau fel Adda ac Efa; Noa a'r Dilyw; Moses a'r Môr Coch; Dafydd a Solomon, ac eraill. Yr oedd yn ei meddiant lyfr o hanesion gyda lluniau lliwgar o'r arwyr hyn. Hi a'm dysgodd i ddarllen.

Yn ei lyfr, *Hanes Methodistiaeth Arfon,* meddai William Hobley: 'Yn 1873, fe agorwyd ystafell yng Nghefncoed, Gloddfa'r Coed, i gadw Ysgol Sul i blant bychain tlodion, lle cyferfydd 30 neu ragor.' Dyma hefyd beth ddywedodd Thomas Lloyd Jones yn ei draethawd 'Hanes Dechreuad a Chynydd yr Ysgol Sabothol' gan ychwanegu mai'r Ysgol Sul hon oedd y gangen olaf i'w hagor yn y dyffryn. 'Mae yn sicr,' meddai 'fod hwn yn gam pwysig yn yr iawn gyfeiriad, plant oedd yn cael eu hesgeuluso yn hollol.' Ysgol Bach Cefn Siop, neu Ysgol Bach, oedd enw'r trigolion lleol ar yr ysgol hon, oherwydd y tu ôl iddi ar un adeg, y bu siop Fanny, gwraig John Jones, Tal-y-sarn.

Yr oedd yr Ysgol Bach yn parhau i ddysgu plant tlawd yr ardal yn nau ddegau a thri degau yr ugeinfed ganrif. Bu Nain yn athrawes yn yr Ysgol Bach am ddeugain mlynedd. Hi oedd brenhines y dosbarth A.B.C. Dyma'r dosbarth cyntaf o ran oed, ac ni fyddai neb yn gadael y dosbarth hwnnw heb fod yn berffaith gyfarwydd â'r wyddor. Yn llythrennol, 'ar lin Nain' yn y dosbarth hwnnw y deuthum i gysylltiad â ffurf a sain llythrennau'r wyddor Gymreig am y tro cyntaf.

Er mai chwarelwr cyffredin oedd fy nhad yn ennill cyflog prin (prin iawn ar adegau), eto yr oeddwn i yn llawer gwell fy myd na phlant bach Cefn Siop. Mwynheais y blynyddoedd a dreuliais yno, a byddaf o hyd yn dod ar draws rhywun a fu'n ddisgybl yno, ac atgofion melys gan bob un ohonynt.

Bob Sul, yn ddieithriad, beth bynnag fo'r tywydd, cerddai Nain a minnau o'i chartref, ar hyd llwybr garw, ac ar ddiwedd y pnawn, cerddem tuag adref, a Nain yn edrych yn debyg iawn i'r pibydd hudolus hwnnw a ddisgrifir mor ardderchog gan I.D. Hooson yn ei gerdd 'Y Fantell Fraith'. Byddai'r plant bach yn ei dilyn o'r ysgol fel adar bach yn y nyth yn disgwyl am fwyd, a byddai Nain yn rhoi ei llaw yn ei phoced, a thynnu allan baced o 'bethau da' i'w dosbarthu yn hael ymysg y plant. Digwyddai hyn wythnos ar ôl wythnos, blwyddyn ar ôl blwyddyn, i genedlaethau o blant Cefn Siop.

Yr oedd ffurf y gwasanaeth yn yr Ysgol Bach yn union yr un fath ag ydoedd yn y Capel Mawr, ond nid oedd ynddi blant yn eu dillad gorau, ac yr oedd yr awyrgylch yn wahanol iawn. Nid oedd Ysgol Sul gyffelyb iddi yn unman, a dyna paham yr wyf yn canolbwyntio arni, er bod Ysgolion Sul llewyrchus yn y pedwar capel arall yn y pentref, sef

Capel Mawr, Capel Wesla, Capel Salem y Bedyddwyr a Chapel Seion yr Annibynwyr. Yr unig Ysgol Sul debyg iddi oedd 'Feed My Lambs' yng Nghaernarfon.

Mewn hen dŷ annedd y cyfarfu yr Ysgol Bach, yr oedd hwnnw'n ddigon da i'r tlodion yn ôl Cristnogion y Capel Mawr. Yr oedd yr adfail wedi bod yn wag ers blynyddoedd lawer. Yr oedd dwy ystafell lawr a dwy lofft. Yn y ddwy lofft y cynhelid yr Ysgol Sul, gyda'r plant lleiaf, tri dosbarth ohonynt, lle byddai Nain yn teyrnasu. Yn ei dosbarth hi byddai'r plant yn llafarganu'r wyddor gydag arddeliad. Ar ôl cwblhau eu prentisiaeth gyda Nain, dyrchafwyd hwy i'r 'Dosbarth Cyntaf', lle'r oedd Mrs Williams Penyryrfa yn rheoli. Hi oedd yn gyfrifol am ddysgu'r plant i ddarllen o lyfr bach lliwgar o'r enw 'Y Cam Cyntaf', lle'r oedd storïau deniadol am arwyr y Beibl, yn arbennig arwyr fel Joshua. Yr oedd y darluniau lliw ochr yn ochr â'r geiriau yn rhoddi boddhad mawr i ni, ac yn aros yn y cof a'r dychymyg am flynyddoedd lawer. Ymddangosodd y llyfrau dylanwadol hyn o gwmpas 1926/7, ymhell cyn 'cymhorthau gweledol' yn ein hysgolion ar ôl yr Ail Ryfel Byd.

Un pnawn Sul chwilboeth, 'ac anhreuliedig haul Gorffennaf gwych yn gwahodd tua'r mynydd', a Mrs Williams Penyryrfa yn tueddu i bendwmpian, galwodd ar Alun i ddarllen. Nid oedd neb yn cael llawer o flas hyd yn oed ar 'Y Cam Cyntaf' y diwrnod chwilboeth hwnnw, oherwydd yr oedd pawb yn dyheu am ryddid i fynd allan i'r awyr agored. Dechreuodd Alun Cefn Siop ddarllen hanes Abraham yn ymfudo o Ur y Caldeaid i Ganaan. Gadawodd Alun y fuchedd hon rai misoedd yn ôl, ond O! yr oedd ym gymeriad hwyliog, hynaws. Ond nid i wlad Canaan yr aeth Abraham y diwrnod hwnnw. Cofiaf ef hyd heddiw yn darllen y frawddeg: 'Ac Abraham a aeth o Ur y Caldeaid i wlad Cannan', ond yr hyn a glywsom gan Alun oedd: 'Ac Abraham a aeth o Ur y Caldeaid i wlad Canada'. 'Aros funud,' meddai Mrs Williams, 'nid i Ganada yr aeth o 'ngwas i ond i wlad Canaan. Pam wnest ti ddweud Canada dŵad?' Ac meddai Alun: 'Am fod 'na lot o *Red Indians* yn Canada Mrs Wilias.' Mae'n amlwg bod Indiaid Cochion Canada yn llawer agosach at galon Alun y prynhawn hwnnw na'r darlun o Abraham a'i deulu yn eu dillad rhyfedd yn crwydro ar droed gyda'u praidd i wlad Canaan.

Yn y llofft fawr, yr oedd pedwar dosbarth, tri ar gyfer plant o saith i bedair ar ddeg oed, ac un dosbarth ar gyfer oedolion. Fy athro dosbarth i oedd tad i deulu niferus o blant a fynychai'r Ysgol Bach. John Thomas oedd ei enw ac yr oedd yn hynod amyneddgar gyda ni'r bechgyn, a allai fod yn afreolus ar adegau. Yr oedd yn athro poblogaidd iawn, oherwydd wedi i bawb ddarllen rhan o'r Maes Llafur, ni fyddem yn treulio gormodedd o amser gyda'r testun Beiblaidd, ond yn gwrando'n gegrwth ar John Thomas yn adrodd ei hanesion yn ystod y Rhyfel Byd Cyntaf ar fwrdd llong ryfel. Yr oedd yn gwybod yn iawn sut i gyfleu stori yn ddiddorol a gadwai'r dosbarth yn dawel a diddig. Fel y disgwyliech, yr oedd cymysgedd o wirionedd a dychymyg yn y storïau, a byddai'r Maes Llafur wedi mynd i ebargofiant.

Athro dosbarth yr oedolion oedd Ifan Ifas, gŵr hynod garedig, ond ar y llaw arall, ni oddefai unrhyw ymddygiad annerbyniol. Chwarelwr cyffredin oedd o wrth ei alwedigaeth, a dreuliai ei ddiwrnod gwaith yn plastro saim trwchus ar echelau'r wagenni a gludai'r llechi i'r stesion, neu'r rwbel i'w ddymchwel dros ddibyn y domen. Gwaith blinderus a budr oedd seimio'r echelau, ond ni rwystrai hyn yr hen ŵr rhag troi allan yn ddestlus i'r Gobeithlu ar nos Lun ac i'r Seiat nos Fercher, a'r Ysgol Bach wrth gwrs ar y Sul. Ar ei ffordd adref o'r Ysgol Sul, byddai'n galw yn rheolaidd yng nghartrefi ei aelodau i gasglu arian a ddychwelid iddynt ar ddiwedd y flwyddyn pan fyddai'r

Ysgolion Sul yn mynd am drip i lan y môr yn Llandudno neu'r Rhyl fel rheol. Ef hefyd oedd trysorydd y Band of Hope, lle eisteddai wrth y bwrdd o dan y llwyfan yn dosbarthu arian i enillwyr y gwahanol gystadlaethau – dwy geiniog i'r enillydd, ceiniog i'r ail a chanmoliaeth ddi-ben-draw i'r holl gystadleuwyr a erys yn waglaw.

Yr oedd Ifan Ifas yn enw cyffredin iawn ymhlith y chwarelwyr, ac felly, er mwyn gwahaniaethu rhwng ein Ifan Ifas ni a'r gweddill, cyfeiriwyd ato fel Ifan Ifas pot saim. Nid oedd dim dirmygus yn hyn, oherwydd trwy gyfeirio ato yn ôl ei alwedigaeth, neu enw ei gartref neu ei ardal, neu enw ei dad neu'i fam, hawdd iawn fyddai ei adnabod ar unwaith, e.e. Joe Go'; Jac Ann Jôs (fy nhad); Wil Penffridd, neu Hywel Plisman. Nid amarch oedd hyn, ac yr oedd gan bawb yn y pentref feddwl mawr o Ifan Ifas pot saim.

Byddai'r gwasanaeth yn yr Ysgol Bach yn dechrau am ddau o'r gloch, fel ym mhobman arall, gyda phawb wedi ymgynnull yn y llofft fawr. Fel arfer, agorwyd y gwasanaeth gydag emyn cyfarwydd, a ganwyd gydag arddeliad. Byddai bochau'r plant fel balŵns wrth iddynt ymdrechu i gynhyrchu mwy o lais na'r plentyn wrth eu hochr. Canwyd y cyfan yn ddigyfeiliant, oherwydd nid oedd hyd yn oed harmoniwm yn yr ystafell. Wedi'r emyn agoriadol, caem ddarlleniad o'r Beibl Mawr ar y bwrdd, gyda phlant ac oedolion yn darllen yn eu tro. Erbyn diwedd y flwyddyn, byddai pawb wedi cael cyfle i ddarllen yn gyhoeddus, gan gynnwys y rhai swil. Yr oedd yr arferiad yma o werth aruthrol yn ddiweddarach mewn bywyd. Yr oedd un ddarllenwraig y byddem ni'r plant yn edrych ymlaen at ei chlywed yn darllen, sef Jane Williams, neu Jane bach. Rhif 11, Eivion Terrace oedd ei chartref, gyda'i mam yn gofalu amdani. Yr oedd yn ddall o'i genedigaeth, ond ni chlywais neb erioed yn cyfeirio ati fel Jane ddall. Byddai ein llygaid fel soseri pan fyddai Jane yn sefyll wrth y bwrdd gyda Beibl arbennig mewn Braille, a byddem yn dotio at gyflymder ei bysedd chwim yn llifo'n gyflym a didrafferth dros lythrennau'r Braille. Yr oedd hi wedi llwyr feistroli'r cyfrwng. Mae'n syndod meddwl bod y ferch hon wedi cael cyfle i feistroli'r cyfrwng mewn pentref mor ddiarffordd yn nau ddegau'r ganrif olaf.

Yr oedd gwaith athrawon yn yr ysgolion dyddiol yn llawer ysgafnach y dyddiau hynny, oherwydd yr oedd y plant wedi dysgu darllen a chanu a hyd yn oed ddysgu sol-ffa, yn y capeli, a hynny gan athrawon brwdfrydig di-dâl.

Gan Ifan Ifas ein Harolygwr yr oedd yr agoriad i'r cwpwrdd yn y gornel, ac ni feiddiai neb fynd yn agos at hwnnw heb ganiatâd. Yn y cwpwrdd hwn y cedwid y gloch a ganwyd i gyhoeddi diwedd y pnawn, a byddai pawb yn ymgynnull eto yn y llofft fawr i derfynu gyda gwasanaeth i bawb, gyda'r un weddi bob tro. Erys rhan o'r weddi honno yn fy nghof hyd heddiw, er bod pedwar ugain mlynedd a mwy wedi mynd heibio, a dyma hi (gydag ambell gymal wedi diflannu am byth i ebargofiant):

Mawr glod a diolch o Arglwydd a fyddo i Ti,
Am i Ti gadw yn ddihangol y dydd aeth heibio.
Gwêl yn dda, a maddau i ni ein holl bechodau
Rhag y byd yn euog ohonynt.
Dyro inni ddoethineb, a'r nerth i fyw yn dy ofn,
A'r fraint i gael marw yn Dy enw.
Trwy haeddiant a chyfryngdod ein Harglwydd Iesu Grist. Amen.

Rwyf wedi gosod y geiriau mewn llinellau byrion, er mwyn dangos fel y byddem yn llefaru ac anadlu'r weddi. Nid oeddem ni'r plant bach yn deall hanner y geiriau, ond trwy eu hailadrodd fel hyn Sul ar ôl Sul, llafarganem nhw yn hollol awtomatig, a'u gosod yn y cof am byth, ac yn ddiweddarach, eu deall.

Yr oedd un cymeriad arall yn Ysgol Bach Cefn Siop, sef William Thomas Williams, neu Wil Bryn Coed fel y cyfeiriwyd ato ar lafar. Yr oedd ef yn dipyn o Walter Mitti, a bron iawn yn anllythrennog rwy'n siŵr. Byddai yn troi allan ar y Sul fel pin mewn papur, gan y credai, o'r herwydd, ei fod yn ddyn duwiol. Gosodai ei ben ar un ochr, gan mai felly y byddai ei gyndadau yn gwneud yn ei dyb ef. Pur anaml y byddai'n gwenu, a dweud y gwir, ni welais i yr un wên ar ei wyneb erioed, i mi gofio. Y 'byd a ddaw' oedd ei nod, nid y byd annuwiol y trigai ynddo.

Er hyn i gyd, halen y ddaear oedd Wil, a bu'n aelod hynod ffyddlon o'r Ysgol Bach hyd ei diwedd. Bob Sul, byddai'n cael y fraint o weddïo ar ddiwedd y pnawn, ac yn ystod yr holl flynyddoedd y bum yn aelod, yr un weddi, air am air, a glywais bob wythnos. Nid wyf yn cofio'r weddi erbyn hyn, ond mae ambell i frawddeg wedi aros yn y cof. At anffodusion cymdeithas y cyfeiriai yn ddieithriad: ' . . . y carcharorion yng ngharchardai ein gwlad; y tlodion yn elusendai ein gwlad . . . ' Perthynai rhyw rhythm arbennig i'r geiriau fel y llefarai nhw, nes oeddent hwythau yn aros yn y cof. Ond y mae dwy ochr i bob ceiniog, meddai'r hen air, ac yn ôl ei gyfoedion yn y chwarel lle gweithiai, byddai Wil yn eu 'llathennu nhw'. Yn sicr nid oedd yn ŵr celwyddog, ond yr oedd ei ddychymyg yn anhygoel, a byddai ei anturiaethau yn y Rhyfel Byd Cyntaf tu hwnt i bob dychymyg. Y frawddeg fyddwn i yn ei chlywed gan ei gyfoedion fyddai: 'Cythral c'lwyddog ydy o'. Ond dan wenu y byddent yn dweud hyn wrth wrando ar ei storïau, nid ei feirniadu'n hallt.

Ysgol Bach Cefn Siop; Ysgol Genhadol; Ysgol Sabothol Cefn y Coed; galwch hi beth a fynnoch, ond bu ei dylanwad yn drwm arnaf ar hyd fy oes ac hyd yn oed heddiw, gallaf

1. Rhan o'r Wyddfa; 2. Y Garn; 3. Mynydd Drws-y-coed; 4. Mynydd Talymignedd; 5. Cwm Silyn (neu'r Graig Las)

O dan y domen rwbel y mae rhan o'r 'Ddôl a aeth o'r golwg' (R.W.P.) ac i'r dde o'r domen yr oedd cae tîm pêl-droed y 'Celts'. Lle bu adeiladau ffarm Dôl Pebin, gwelwch ran o stâd Bro Silyn tu draw i'r 'ffordd newydd'.

Dyma'r cyfan a erys o hen ffarm Dôl Pebin. Yma y byddai Dafydd Dre a Wil Clocsiwr yn treulio misoedd yr haf.

Dyma dai bach unllawr Penbont, lle trigai teuluoedd y gweithwyr a weithiai yn chwarel y Gloddfa Goed a chwarel y Gloddfa Glai. Yn y tŷ pellaf y trigai Wil Tom, Bryn Coed, is-arolygwr Ysgol Bach Cefn Siop.

Dyma'r 'bont fawr' fel yr oedd yn fy nghyfnod i gyda'r hen ffordd i Nantlle. Ar y chwith, y mae pont llawer is, lle'r oedd y 'ffordd haearn' gyda'r wagenni arni yn cael eu tynnu gan geffylau i'r stesion.

Dyma ffotograff cynnar (diwedd y 19g neu ddegawd cyntaf yr 20g). 1. Penyryrfa, gyda theulu ym mhob tŷ; 2. 'Bwrdd' uwchben chwarel Gloddfa'r Coed lle codwyd rwbel neu lechfaen o'r twll; 3. Y Lôn Haearn; 4. Inclên i gludo'r cerrig i'r sied; 5. Capel Mawr Tal-y-sarn.

Fy mam a'i mam, Susanna yn 7 Nantlle Road, lle'm ganed.

Dyma ran o bentref bach Penyryrfa fel yr oedd yn y tridegau gyda'r 'Bont Fawr' yn y cefndir...

. . . a dyma'r lle heddiw yn 2005. Pob adeilad a thomen wedi'u dymchwel i dwll chwarel y Gloddfa Goed.

Y Gloddfa Goed a'r Gloddfa Glai – heddiw
Oherwydd agosrwydd y naill at y llall, boddwyd y ddwy yn niwedd y bedwaredd ganrif ar bymtheg.

Fy Nhal-y-sarn i: 1. 'Caffi'; 2. Y Ffordd Haearn; 3. Cloth Hall; 4. Capel y Wesleaid; 5. Y Swyddfa Bost; 6. Capel Mawr; 7. Rhan o Eifion Terrace.

Yr Hen Gapel. Adeiladwyd ym 1821, gyda masnachdy cyntaf y Parch. John Jones ar y chwith.

Masnachdy y Parch. John Jones, sef y Nantlle House, Talysarn. Sefydlwyd yn y flwyddyn 1852 pan symudodd y teulu i'r Capel Mawr.

'Trip Ysgol Sul' rhywbryd yn nauddegau'r 20g. Pawb yn eu dillad gorau a phob bachgen yn gwisgo coler a thei.

Capel Mawr Tal-y-sarn (1877) yn ei lawn ogoniant. Yma y treuliodd y Parch. Robert Jones ei oes fel gweinidog. Erbyn heddiw, adfail ydyw.

Y Parch. Robert Jones yn cerdded heibio'i gapel gyda Tos y ci.

Plas Tal-y-sarn, y brif fynediad

Plas Tal-y-sarn heddiw

Plas Tal-y-sarn heddiw

Twll Mawr Tal-y-sarn. Dyma un o'r chwareli hynaf yn y dyffryn, os nad yr hynaf. Yma y gweithiai John Jones, Tal-y-sarn, cyn ei ordeiniad yn 1828.

Dau dwll Chwarel Cornwall

Y Twll Coch, chwarel Dorothea

Y twll hwn oedd y mwyaf cynhyrchiol o'r pedwar twll. O waelod y twll hwn y byddai'r 'Injan Fawr' yn codi miloedd o alwyni o ddŵr i'w rwystro rhag boddi'r twll.

1. Yr Injan Fawr (ymddengys y cloc yn glir ar ei hwyneb)

2. Dyma'r 'bwrdd' bondigrybwyll lle gweithiai fy nhaid William Jôs Bachwr.

3. Byddai'r chwarelwyr yn disgyn i lawr yr ysgolion hyn yn y bore, ac ar ôl diwrnod caled o waith yn dringo pedwar can troedfedd a mwy, cyn cychwyn am adref.

4. Injan 'Ol' (Oliver Hughes, Eivion Terrace) a godai'r wagenni o'r 'dyfnjwn'.

5. Shed Cornwall.

Dyma ddau ffotograff o'r Injan Fawr. Ar y chwith, y mae'r cloc mawr a glywid yn y pentref ddydd a nos os oedd y gwynt yn ffafriol, neu'n noson dawel. Gwelwch y drws o dan y trawst anferth a siglai yn ôl a blaen yn fyddarol.

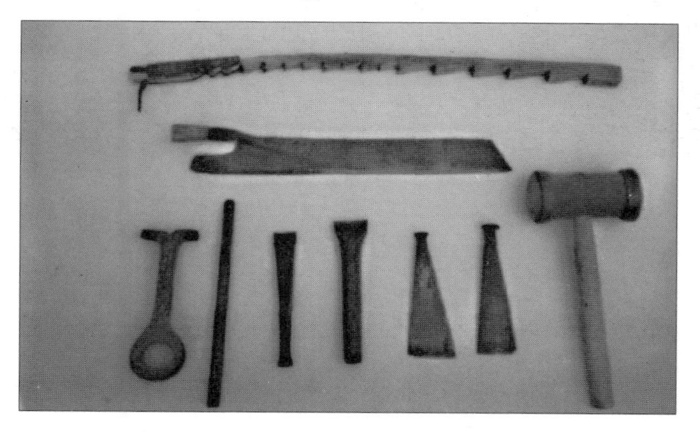

Celfi'r gweithwyr yn y sied (o'r chwith i'r dde): 1. Pric mesur 2. Cyllell naddu 3. Erfyn i rwygo pilar o'r graig 4. Gowjan 5. Dau gŷn i hollti'r llech 6. Dau gŷn arbennig i holltir llechen cyn ei mesur 7.Gordd

Dyma'r olygfa a beintiwyd gan Richard Wilson a Turner. Lithograff yw'r uchod gan C. Haghe. Gwelir y ddau lyn yn eglur iawn. Y Llyn Isaf a dorrodd drwodd a boddi chwarel Dorothea am rai misoedd yn 1884. Boddwyd saith o ddynion y noson honno. Gweler ffarm Y Ffridd ar y dde. Gwagiwyd y Llyn Isaf yn 1893.

Beddfaen pedwar o'r chwarelwr a gollodd eu bywydau yn 1884. Claddwyd y tri arall yn annibynnol.

Idwal yn dangos peilot mor dda ydoedd yn gallu cipio hances boced gyda blaen ei adain. Camp arbennig iawn, a champ a'i lladdwyd yn 1936.

Yr enwog Mary King Sarah tua 1900 (merch Tom Sarah uchod)– 1884-1965
(Llun: Mr Iorwerth Hughes, Pen-y-groes)

Jini Wrench a minnau o gwmpas 1927/8 yn canu 'Jini, ddoi di am dro efo dyn o'i go'. Jini ddoi di am dro bach hefo mi.'

Fy nhaid William Jôs (Bachwr) gyda'i wn baril sengal blaen lwythwr (muzzle loader)*, gyda W. J. Griffith, rheolwr chwarel Dorothea ar y dde, a rhyw ŵr di-enw ar y chwith.*

Bardd 'Yr Haf', R. Williams Parry - y plac ar ei hen gartref a'r Gofeb a ddadorchuddiwyd gan Mrs Betty Williams AS ar draws y ffordd i'r hen stesion yn Nhal-y-sarn.

Dyma siop Cloth Hall lle ganwyd Gwilym R. a Dic. Yma y prynais fy nghopi cyntaf o Llyfr Mawr y Plant yn 1932. Cefais y fraint o ddadorchud-dio cofeb yma i Gwilym R., 15fed Medi, 2006. Tŷ annedd ydyw heddiw, ym meddiant Saeson. Gwelir Gwilym R. wrth y drws ar y chwith.

Adeiladwyd Cwt Band Arian Dyffryn Nantlle gan Richard Rowlands (Dic Dŵr) ac fe'i adferwyd yn ddiweddar.

W. T. Williams (Wil Tom Lydia), ail reng, y cyntaf ar y chwith; T. R. Williams (Twm Dic) yn y rheng flaen, y cyntaf ar y dde.

Dyma W. R. Jones (Wili Jôs Glo) gyda'i ddwy gaseg anferth a fyddai'n tynnu'r wageni trymion o chwarel Dorothea i Sesion Tal-y-sarn. Ond gwerthu glo i drigolion y pentref oedd ei brif alwedigaeth (2s 6c y cant – 25c heddiw).

weld yn fy meddwl y plant a'r oedolion fyddai yno ar y Sul. Gallaf glywed eu lleisiau wrth iddynt lafarganu, a gallaf weld yn glir yr ystafelloedd llwm, gyda phaent gwyrdd llaith a rhad ar y muriau; y seddau di-gefn o goed pîn yr eisteddem arnynt. Yma y dysgais yr Wyddor a darllen. Yma y dysgais ddarllen yn gyhoeddus, a magu hyder a erys gyda mi o hyd, ac yno, yn gynnar iawn yn fy oes, y dysgais rai o'n emynau mawreddog, gogoneddus, sy'n rhan mor annatod o'n diwylliant Cymraeg. Byddai cydweithio ardderchog rhwng athrawon yr ysgolion cynradd a'r capeli a byddent yn cyfrannu'n weithgar i weithgareddau'r capel. Byddai ein gweinidog, y Parch. Robert Jones, BA yn cynnal dosbarthiadau Beiblaidd yn festri'r capel yn ystod misoedd y gaeaf. Yr oedd ef yn athro penigamp, gyda diddordeb arbennig mewn addysg. Yr oedd ganddo'r ddawn i gadw'n diddordeb, pa mor gymhleth bynnag fyddo'r testun dan sylw. Byddai ei wersi ar deithiau Paul, ei lais a'i symudiadau, yn gwneud y cyfan yn fyw o flaen ein llygaid.

Pan ddaeth cyfnod yr Ysgol Bach i ben, gorfu i ni'r plant symud i'r Capel Mawr, lle byddai pawb yn gwisgo eu dillad gorau ar y Sul. Yr oedd tlodi o hyd yn y pentref, ac ni allai teuluoedd niferus Cefn Siop fforddio dillad dydd Sul arbennig. Felly, dim ond dyrnaid ohonom a aeth i'r Ysgol Sul 'posh' yn y capel. Byddai'r capel dan ei sang bob pnawn Sul, y llawr a'r galeri, gyda rhyw dri chant o blant ac oedolion ar gyfartaledd. Yr oedd yno lampau nwy a phulpud uchel, ac yn bennaf oll, organ rymus i gyfeilio i'r canu. Yr oedd yno ddwy organyddes ddawnus iawn, sef Annie Laura ac Eirianwen Owen. Yr oedd Eirianwen yn wyres i Huw Owen y byddaf yn cyfeirio ato yn y bennod nesaf. Yr oedd Wil Bryn Coed wedi priodi merch Huw Owen ac yn byw yn yr hen gartref, Bryn Coed.

Cychwyn bregus fu i grefydd yn Nhal-y-sarn yn y dyddiau cynnar ar ddiwedd y ddeunawfed ganrif, ond erbyn hanner olaf y bedwaredd ganrif ar bymtheg yr oedd y sefyllfa yn wahanol iawn, gyda chapeli dan eu sang bob Sul. Erbyn canol yr ugeinfed ganrif, daeth peth newid unwaith eto; collodd y trigolion ddiddordeb mewn crefydd; cymerodd Mamon le'r ffydd a fuasai ar un adeg mor bwysig. Yr Ail Ryfel Byd a fu'n gyfrifol i raddau helaeth am y diffyg diddordeb hwn, yn ogystal â'r datblygiadau technegol a gymerodd le ar ddiwedd y rhyfel. Erbyn heddiw daeth y teledydd i bob tŷ o'r bron, ond nid y teledydd yw'r felltith, ond y camddefnydd a wneir ohono. Yn fy nhyb i, nid yw bywyd hanner mor ddiddorol ag y bu, er yr holl ddatblygiadau technegol. Y mae arferion cefn gwlad yn prysur ddiflannu, ac y mae gofal am gymydog yn llawer llai amlwg nag ydoedd. Ble mae'r cynhesrwydd a fu yn yr hen amser?

Cyn ffarwelio â chrefydd ym mhentref Tal-y-sarn, hoffwn ychwanegu gair ymhellach am y Parch. Robert Jones, BA, gweinidog Capel Mawr Talysarn. Dilynodd i'r alwad weinidog gweithgar a mawr iawn ei barch, sef y Parch. William Williams, taid Miss Mena Williams, cyn bennaeth Adran Gymraeg y Coleg Normal, a'i chwaer Mrs Nesta Davies, gwraig y diweddar ddyngarwr Jim Davies, Pennaeth y Coleg Normal yn naw degau'r ganrif ddiwethaf. Y Parch. William Williams fedyddiodd fy 'nhad a mam. Ond bedyddiwyd fi gan y Parch. Roberts Jones (Jôs Gweinidog), yn yr *Assembly* yn y pentref tra'r oedd gweithwyr yn atgyweirio'r Capel Mawr.

Yr oedd Robert Jones yn weinidog delfrydol, yn fugail cydwybodol a ofalai am ei braidd trwy alw i'w gweld yn eu cartrefi. Yn ogystal â bugeilio'r praidd dwygoes, treuliai oriau yn 'gwylied ei braidd' pedair coes ar ffarm enedigol ei wraig. Yn bur aml, pregethai o'r pulpud gyda 'charchar defaid' yn hongian o'i boced.

Yr oedd yn hoff iawn o addysg a byddai'n cynnal dosbarthiadau Beiblaidd ac Economeg yn ystod misoedd y gaeaf mewn festrïoedd, a threuliodd flynyddoedd olaf ei oes fel athro Ysgrythur yn Ysgol Ramadeg Pen-y-groes. Ni welais ef erioed yn gwisgo coler gron, ac ni phetrusai i feirniadu'n llym o'r pulpud y rhagrithwyr hynny a wgai ar y rhai a fynychai'r Nantlle Vale hotel a'r gamblwyr diniwed a wariai chwe cheiniog ar y 'gee-gees'. Ei neges ef bob amser oedd: 'Edrych ar y trawst yn dy lygad dy hun'.

Mewn cyfnodau o ddirwasgiad yn y chwareli, tueddai gwŷr ifaic i yfed yn ormodol, ond gweithiai Mr Jones yn galed i'w cael yn ôl i'r 'llwybr cul'.

Gŵr galluog, cyfaill hynaws ac athro gwych oedd o.

Dechreuad y llechfaen

Y llechfaen oedd sail un o ddiwydiannau pwysicaf Cymru, yn arbennig yn ail hanner y bedwaredd ganrif ar bymtheg hyd ganol yr ugeinfed ganrif. Ceir yr haenau cynhyrchiol o'r llechfaen fel rheol ym mhellafoedd rhanbarthau mynyddig gogledd Cymru. Ar un adeg, yr oedd pedair rhan o bump o lechi Prydain yn dod o'r ardaloedd hyn, ac yng nghysgod y chwareli, tyfodd pentrefi lle preswyliai cymdeithasau diwylliedig, a'r dynion yn llafurio yn y chwareli i ennill eu bywoliaeth.

Oherwydd yr adeiladwaith cemegol a berthyn iddi, y mae'r llechfaen yn wahanol i bob math arall o graig. Ffurfiwyd mewn cyfnod cyn hanes filiynau o flynyddoedd yn ôl, pan oedd daear ein byd ni yn ansefydlog iawn, gyda mynyddoedd tanllyd a daeargrynfeydd diddiwedd, heb sôn am lifogydd fel dilyw Noa gynt. Yn ôl daearegwyr diweddar, digwyddodd hyn rhwng 450 a 500 miliwn o flynyddoedd yn ôl. Yn ystod y cyfnod dychrynllyd hwn y ffurfiwyd y byd yr ydym ni yn byw ynddo, wedi canrifoedd lawer o natur afreolus. Yn ystod y cyfnod cyffrous hwn, cafwyd cyfnodau cymharol dawel, gyda'r môr a'r tir yn aros yn ddigyfnewid.

Mewn cyfnodau tawel o'r fath y ffurfiwyd y llechfaen. Byddai afonydd bach a mawr yn cludo tywod, cerrig mân a mwd, neu siâl, a byddai'r cymysgedd hwn yn llifo i'r môr ac yn suddo i'r dyfnder. Byddai'r rhan drymaf o'r cymysgedd yn suddo i waelod y môr yn gymharol agos i'r lan, ond cludid y gweddill ymhell allan i'r dyfnder. Y gronynnau ysgafn hyn a ffurfiodd haenau o fwd a suddai fwyfwy i'r dyfnder dan bwysau mwy a mwy o siâl a gludwyd gan yr afonydd o'r tir. Ar yr un pryd, yr oedd pwysedd gwres aruthrol a godai o grombil y ddaear, a'r pwysedd oddi uchod yn achosi newidiadau cemegol yn y mwd cynnar hwn, a chwydwyd i'r wyneb a'i wasgu rhwng creigiau caled y tir. Dyma sut y ffurfiwyd haenau o lechfaen ar lechweddau'r mynyddoedd, ac ar y gwastadedd.

Dyna yn fras sut y ffurfiwyd y llechfaen yr ydym ni mor gyfarwydd â hi. Yr enw a ddefnyddir gan ddaearegwyr i ddisgrifio cymysgedd o'r fath yw metamorffedd. Y mae mynyddoedd gogledd Cymru yn frith o ffurfiannau o'r fath, ac yn eu cysgod, tyfodd pentrefi fel Bethesda, Llanberis, Tal-y-sarn a Ffestiniog. Ym Methesda a Llanberis, gwelir yr haen ar lechwedd y mynydd; yn Nhal-y-sarn, gwelir hi yn nyfnder y ddaear, ac yn Ffestiniog, gwelwn hi ym mherfedd y mynydd. I ddilyn yr haen yn chwarel Dorothea er enghraifft, tyrchai'r gweithwyr tua phedwar can troedfedd i'r dyfnder i ddilyn yr haen, tra cloddiai gweithwyr Ffestiniog i berfedd y mynydd, fel glowyr y de.

Fel y crybwyllais, daeth galw mawr am dai yng nghyffiniau'r ffatrïoedd enfawr a adeiladwyd yng nghanolbarth Lloegr yn dilyn y Chwyldro Diwydiannol yn y ddeunawfed ganrif. Sylweddolodd cyfalafwyr a gwŷr busnes y cyfnod fod llechi gogledd Cymru yn llawer mwy addas i doi tai na tho gwellt, ac yn llawer rhatach. A sylweddolodd tirfeddianwyr fel yr Arglwydd Penrhyn, Richard Pennant, a pherchennog y Faenol, Assheton-Smith, bod galw mawr am y trwch o lechfaen a orweddai dan eu tiroedd. Dyma pryd y datblygodd chwarel y Penrhyn a chwarel Dinorwig.

Y mae digonedd o enghreifftiau ar gael yng ngogledd Cymru a ddengys bod yr hen Frythoniaid yn hen gyfarwydd â defnyddio'r llechfaen i adeiladu eu cytiau, a gwyddent sut i grafu wyneb y tir am lechfaen addas ar gyfer toau eu cytiau a chytiau i'w hanifeiliaid. Mor bell yn ôl â chyfnod arhosiad y Rhufeiniaid ym Mhrydain, defnyddient hwy lechi tenau ar doau eu barics yn Segontium ger Caernarfon, a slabiau mwy trwchus ar y lloriau, yn arbennig lloriau stablau'r ceffylau. Dyna yw barn archeolegwyr diweddar. Yn y ganrif gyntaf OC y digwyddodd hyn, a gwyddom fod y llechi hyn wedi dod o chwarel y Cilgwyn yn Nyffryn Nantlle a llechweddoedd Dyffryn Ogwen.

Un o'r cyfeiriadau ysgrifenedig cyntaf yn ymwneud â llechi oedd yn 1399, yn ystod teyrnasiad Richard II, pan oedd y brenin hwnnw ar daith o Aberdaugleddau i Gaer. Arhosodd ef a'i osgordd yng Nghonwy, a syndod i'r Saeson oedd gweld tai gyda thoau o lechi. Aelod o osgordd y brenin oedd bardd o'r enw Creton, a ysgrifennodd mewn Ffrangeg Normanaidd:

> Felly rhodiodd y brenin heb wneud sŵn,
> Nes cyrraedd Conwy, *lle mae llawer o lechi*
> *Ar y tai.* Cyrhaeddodd heb oedi
> Ar doriad y dydd . . .

Llechi oedd y rhain y cyfeiriwyd atynt, a gludwyd ar ysgraffiau i lawr afon Conwy o chwareli Dolwyddelan a'r cylch, chwareli y byddai John Jones Tal-y-sarn yn gweithio ynddynt pan yn llencyn deuddeg oed, i gynnal ei deulu ar ôl marwolaeth ei dad yn ŵr ifanc. Yr oedd chwareli Dolwyddelan a'r cylch yn hen iawn, ac yn cynhyrchu llechi ymhell cyn cyfnod Richard II a Creton.

Gallwn ddweud yr un peth am chwarel y Penrhyn. Gwyddom fod nifer o chwareli bychain yn Nyffryn Ogwen yn yr unfed ganrif ar bymtheg, oherwydd y mae ar gael gywydd 'gofyn', a ysgrifennwyd gan un o feirdd proffesiynol y cyfnod, sef Guto'r Glyn, o Lyn Ceiriog (1445-1475), at Ddeon Eglwys Gadeiriol Bangor, yn erfyn arno i anfon llechi o Aberogwen i Ruddlan, i'w gosod ar do tŷ yn Henllan. Anfonwyd y cais at yr enwog Ddeon Richard Kyffin. Dyma sut yr aralleiriodd Iorwerth Peate ran o'r cywydd: 'Rwy'n bwriadu,' meddai'r bardd, 'adeiladu tŷ ar fryn . . . cartref teg fydd y neuadd hon, os cawn deils a hoelion o goed . . . a gorchuddir y cyfan gyda cherrig o Wynedd . . . gemau o lechwedd bryniau, teils tenau a rydd i'm tŷ newydd. Fy unig bwrpas iddo ym Mangor, oedd gofyn am gerrig o bentir y môr, llwyth cyn gymaint â neuadd . . . '

Rhyw ganrif yn ddiweddarach, yn yr unfed ganrif ar bymtheg, cawn gywydd 'gofyn' cyffelyb gan fardd proffesiynol arall, sef Siôn Tudur o Lanelwy (m. 1602), eto at Ddeon Bangor. Cais sydd yma i'r Deon anfon llwyth o lechi i Aber Ogwen i adnewyddu to ei dŷ yn Llanelwy. Meddai Siôn Tudur:

Oer to gwellt i ŵr teg ach,
Ysglatys [llechi] y sy glytach.

Daw'r gair Seisnig, 'slate', o'r Hen Saesneg 'slat' (neu 'sglat') a fabwysiadwyd gan y Sais o'r ferf Ffrangeg 'esclater') a olyga hollti neu falu'n yfflon. Ystyr y gair Cymraeg 'llech' ydyw craig holltadwy yn gyffredinol, ond ymddengys geiriau fel 'ysglatys', 'ysglats' neu 'sglatys' yn ein hiaith hefyd, efallai o'r Ffrangeg-Normanaidd. Gofynnodd Siôn Tudur am dri chant o lechi i'w hanfon i'r Rhyl.

Creigiau Arfon oedd asgwrn cefn economaidd y sir am gyfnod o ddwy ganrif a mwy. Erbyn heddiw nid erys un chwarel ar ôl.

Chwareli llechi a mwynfeydd llechi

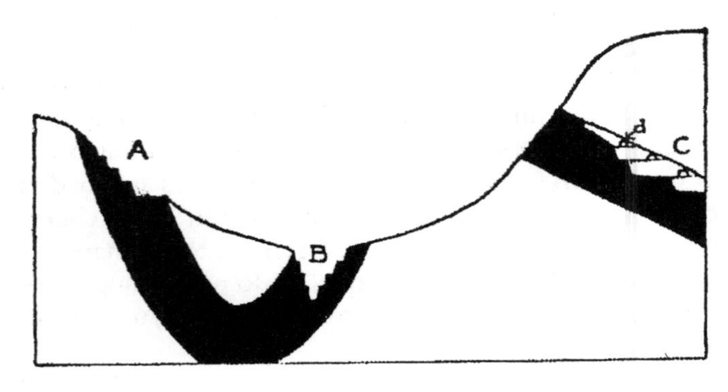

'Chwydwyd y mwd cynnar hwn o ddyfnder y môr, gan bwysedd y gwres aruthrol o grombil y ddaear. Gwasgwyd ef gan greigiau caled y tir. Dyma sut y ffurfiwyd haenau o lechfaen ar lechweddau'r mynyddoedd, ac ar y gwastadedd.'

A	Llechfaen ar lechwedd serth mynydd fel ym Methesda a Dinorwig
B	Ar lawr dyffryn fel Nantlle
C a D	Mwynfeydd fel Blaenau Ffestiniog neu Aberllefenni

Chwareli llechi o gwmpas Tal-y-sarn

O ddiwedd hanner olaf y ddeunawfed ganrif hyd canol y bedwaredd ganrif ar bymtheg, agorwyd degau o dyllau yn ardal Tal-y-sarn, yn bennaf gan fentrwyr ariannog o Loegr. Gwelent y posibiliadau i wneud ffortiwn yn bur gyflym trwy allforio llechi ar gyfer adeiladu yng nghanolbarth Lloegr yn arbennig, lle'r oedd galw mawr am lechi yn y ffatrioedd a'r tai ar gyfer y gweithwyr. Methiant fu hanes y mwyafrif o'r mentrau hyn, ar ôl buddsoddi miloedd o bunnoedd i ddatblygu'r chwareli. Fel un o blant Tal-y-sarn canolbwyntiaf ar y chwareli hynny a amgylchynai'r pentref yn ystod fy mhlentyndod i yn y dau ddegau a'r tri degau. Yn y cyfnod hwnnw, allforiwyd miloedd o dunelli o lechi oddi yma i bob cwr o'r byd, rhai o'r cei yng Nghaernarfon, ond yn ddiweddarach ar y rheilffordd o stesion Tal-y-sarn. Dyma i chwi restr o rai o'r chwareli hyn, y rhai cynhyrchiol, a'r rheiny oedd wedi cau am byth a than ddŵr.

Yr Hafodlas neu Gloddfa Goed

Dyma un o'r chwareli cyntaf i'w hagor yn y dyffryn, os nad y gyntaf, oherwydd y mae cyfeiriad at lawer o ddynion yn gweithio yn y chwarel hon yn 1767. Tybir mai'r perchennog cyntaf, a'r arloeswr, oedd gŵr lleol o'r enw William Roberts, Gogerddan. Y Gloddfa Goed oedd yr enw gwreiddiol ar y chwarel, ond gan ei bod wedi ei hagor ar dir ffarm Hafodlas, cyfeiriwyd ati fel Chwarel Hafodlas; ond y Gloddfa Goed a fabwysiadwyd gan y trigolion lleol, a minnau yn eu plith. Fel rheol, prydleswyd rhan o'r tir gan berchennog y ffarm i gyfalafwyr a oedd yn barod i fuddsoddi arian mewn chwarelyddiaeth. Fel y crybwyllwyd uchod, yr oedd ein dyffryn yn goediog iawn, a chyn dechrau ar y gwaith o dyrchu am y llechfaen, yr oedd yn orfodol clirio llawer o'r coed a dyfai ar wyneb y tir.

Yn y dyddiau cynnar, nid oedd peiriannau o unrhyw fath i ysgafnhau'r gwaith caled, a chludai'r gweithwyr y rwbel a'r llechfaen ar eu cefnau o'r twll. Yn ddiweddarach, defnyddid 'chwimsi', a oedd yn ôl Huw Ifas, Gwernor, yn debyg i 'gapstan' llong hwyliau, gyda'r gweithwyr yn cerdded rownd a rownd gan godi rwbel a llechfaen o'r twll mewn rhyw fath o gynhwyswr ar weiren. Yn ddiweddarach, defnyddiwyd ceffyl i wneud y gwaith, yn union fel y mae mul yng ngwledydd y dwyrain yn codi dŵr o'r ddaear ar ddyfais debyg i chwimsi. Tua 1807, daeth peiriant stêm i wneud y gwaith yn chwarel Tal-y-sarn, a chredir mai hwn oedd y peiriant stêm cyntaf i ymddangos yn y dyffryn. Fel y cloddiwyd yn is ac is i gyrraedd y llechen orau, yr oedd peiriant o'r fath yn gymorth mawr i'r gweithwyr, ac yn cyflymu'r gwaith. Ar ddechrau'r bedwaredd ganrif ar bymtheg, yr oedd twll y Gloddfa Goed yn ddwfn iawn ond yn gul, ac yn ôl yr henafgwyr, yr oedd mor ddwfn fel y gwelai'r gweithwyr y sêr ganol dydd – meddent hwy. Erbyn 1807, nid oedd neb yn cludo rwbel ar ei gefn, nac yn defnyddio chwimsi, gyda dynion neu geffyl yn ei droi, ac ni fyddent chwaith yn cludo llechi mewn pynnau ar gefn merlod i borthladd Caernarfon, ond yn hytrach, trol a cheffyl, cyn dyfodiad y rheilffordd gul yn 1828. Ceffylau fyddai'n tynnu'r wagenni, a bu'r rheilffordd gul hon mewn bodolaeth am rai blynyddoedd, nes cyrhaeddodd y trên stêm yn Nhal-y-sarn yn 1870.

Melltith bennaf chwareli Dyffryn Nantlle oedd y 'cwympiadau' neu *'falls'* cyson a ddigwyddai ynddynt. Tyrchwyd mor ddwfn i'r ddaear fel bod pwysau'r graig yn achosi i rannau helaeth ohoni ddatgysylltu o'r brif graig, a threiglo i lawr i ddyfnderoedd y twll gan achosi difrod aruthrol a cholled ariannol ddychrynllyd i'r perchennog. Byddai gweithwyr wrthi am wythnosau yn aml, yn clirio creigiau diwerth a rwbel a guddiai'r llechfaen, a gadawai'r perchennog y chwarel yn wag a di-waith a than ddŵr. Dyma ddigwyddodd yn hanes y Gloddfa Goed yn 1829, a'r Gloddfa Glai yn ddiweddarach. Ar ben hyn, os na wneid ymdrech i reoli'r dŵr yn y twll, oherwydd eu hagosatrwydd at afon Llyfni, yn fuan iawn byddai'r afon wedi gorlifo i'r twll. Yn ystod fy ieuenctid, un llyn anferth oedd y ddwy chwarel, a pharadwys i hwyaid gwylltion. Byddai poptai fy ewythr Llew a ninnau yn dra chyfarwydd â hwyaid gwylltion yn ystod misoedd y gaeaf.

Chwarel Coedmadog neu'r Gloddfa Glai

Fel ffarm hynafol Hafodlas, yr oedd stad Coedmadog yn bur llewyrchus cyn darganfod y llechfaen a orweddai dan wyneb y tir. Darganfuwyd yn gynnar bod troedfeddi o glai yn gorchuddio'r llechfaen, ac yr oedd yn rhaid clirio'r clai cyn dechrau tyrchu am y llechfaen. Dyma paham y cyfeiriwyd ati gennym ni'r trigolion fel y Gloddfa Glai (neu Glofa Glai). Dim ond palis tenau o graig oedd yn gwahanu'r ddwy chwarel, ac o ganlyniad, os boddai'r naill, boddid y llall yn ogystal. Yr oedd yn chwarel gyfoethog am flynyddoedd, ond oherwydd dyfnder y twll, daeth cwymp ar ôl cwymp, a llifodd dŵr yr afon i foddi popeth.

Chwarel Tal-y-sarn

Ar dir ffarm Tal-y-sarn y gorwedd y chwarel hon, un o'r chwareli hynaf a chyfoethocaf yn y dyffryn. Yn ôl Dr Gwynfor Pierce Jones, dyma'r ffarm a fabwysiadwyd gan wahanol berchenogion y chwarel ac adeiladu, yn lle'r hen adeilad gwreiddiol, y plas hardd a erys yno o hyd fel adfail. O gwmpas y chwarel hon yr oedd nifer o chwareli bychain nad oedd fy nghenhedlaeth i yn gyfarwydd â nhw, ond byddwn yn clywed ambell gyfeiriad atynt gan fy nhad a'm taid – ac ambell gyfrol hynafol. Crybwyllwyd enwau fel yr Allt Lechi a Chloddfa'r Onnen, ond nid oedd lleoliad y chwareli hyn yn gyfarwydd i mi o gwbl. Ond yr oedd chwarel Tal-y-sarn mewn dosbarth ar ei phen ei hun. Yr oedd yn chwarel anferth, a chyfeirid ati fel Twll Mawr Tal-y-sarn gennym ni'r pentrefwyr. Twll anferth yn llawn dŵr yr wyf i yn ei gofio yno, lle hynod beryglus. Y mae'r graig a gyfyd o'r llyn yn llyfn a serth, ac yn lle i'w osgoi. Gwyddem ni'r plant beth oedd y peryglon, ond byddem, er hynny, yn chwarae o'i gwmpas yn bur ddi-ofn. Yn aml iawn yn ystod misoedd yr haf, byddem yn mentro yn bur agos i'r 'dyfnjwn' i gasglu mwyar duon. Byddai'r mwyar duon duaf ac aeddfetaf yn y lleoedd mwyaf peryglus bob amser.

Yn hollol ddamweiniol y deuthum ar draws erthygl yn y cylchgrawn *Cymru*, dan olygyddiaeth Syr O.M. Edwards (Cyfrol XVI, t.55). Yn y cylchgrawn hwn yr ymddangosodd gwaith cynnar beirdd fel Eifion Wyn, T. Gwynn Jones a W.J. Gruffydd, ac yr oedd ei gynnwys yn boblogaidd iawn gan ddarllenwyr ifanc yn ystod y deng mlynedd ar hugain y'i golygwyd gan Syr O.M. Edwards. Ond yn ogystal â'r enwogion a grybwyllwyd uchod, rhoddwyd cyfle i'r dinod hefyd gyhoeddi eu gwaith os oedd o ddiddordeb i'r darllenwyr. Chwarelwr cyffredin oedd Robert Williams, Cae Engan, Llanllyfni, ond cyhoeddwyd erthygl ddiddorol iawn ganddo yn *Cymru*. Ganwyd ef yn 1813 ac yn chwarel Tal-y-sarn y dechreuodd ei yrfa chwarelyddol pan oedd ond naw oed. Meddai yn ei erthygl:

> Mr Turner, Parcia, yn agos i Gaernarfon oedd y meddiannydd (sef chwarel Gloddfa Lôn), cyn i'm tad fyned i Dal-y-sarn i weithio . . . a'r pryd hynny yr oeddwn innau'n paratoi fy hun i fyned i'r chwarel i ddysgu. Ond cyn i mi ddechrau hynny, daeth John Jones (wedi hynny y'i gelwid yn Parch. John Jones, Tal-y-sarn) i'r ardal a chafodd fynd yn bartner at fy nhad a'i griw, – fy nhad yn hollti i'w bartner ef, a John Jones yn hollti i'r pedwerydd aelod o'r criw.'

Yr oedd John Jones yn hen gyfarwydd â gweithio mewn chwarel, oherwydd dyna oedd ei waith cyntaf ar ôl marwolaeth ei dad yn ŵr ifanc. Deuddeg oed oedd ef pan ddechreuodd weithio yn chwareli Dolwyddelan. Pan ddechreuodd weithio yn chwarel Tal-y-sarn yn 1822, yr oedd John Jones yn ddibriod, a heb ei ordeinio. Yr oedd galwadau arno i bregethu ym mhob rhan o Gymru, a derbyniodd ganiatâd i adael ei waith yn y chwarel yn gynnar ar ddydd Gwener i gychwyn ar ei deithiau pregethwrol, ond yr oedd yn orfodol iddo fod yn y chwarel ac wrth ei waith bore Llun.

Yn ei erthygl ddifyr, cyfeiria Robert Williams at dyllau o gwmpas Tal-y-sarn gydag enwau hollol ddieithr i mi, ond yn ei gyfnod ef yn chwareli proffidiol a logai lawer o ddynion. Yr oedd chwarel Tal-y-sarn yn un o'r goreuon yn y dyffryn. Yr oedd wedi ei hagor yn y gwely coch, sef lliw y llechfaen, er bod llechi glas i'w cael yma yn ogystal â rhai glasgoch. Gweithiwyd y chwarel hon am flynyddoedd, a chynhyrchodd elw aruthrol i'w pherchenogion dros y blynyddoedd. Ar dir chwarel Tal-y-sarn, lle byddai'r hen ffarm, adeiladwyd plas moethus. Yr oedd y Plas yn ei lawn ogoniant pan oedd Robert Williams yn gweithio yn y chwarel, a chyfeiria ef ato fel cartref Griffith Jones, perchennog y chwarel y pryd hynny. Yno'r âi Robert Williams am ei gyflog, ac meddai: 'Bûm ddwy flynedd yn ennill pedair punt a choron . . . Ar ôl i'r goruchwyliwr wneud fy nghyfrif am ddwy flynedd, rhoddodd bapur i mi fyned i'r Plas i gael fy arian . . . '

Yn wahanol i blastai'r Faenol a'r Penrhyn, nid oedd mur uchel yn amgylchynu Plas Tal-y-sarn, ac erbyn tri degau'r ddeunawfed ganrif, yr oedd rwbel o'r chwarel yn domen uchel tu ôl i'r Plas, ac wedi cyrraedd y stablau bron, a'r tir glas i'r gogledd o'r Plas wedi'i orchuddio â rwbel o chwarel Tal-y-sarn.

Ond arhosai rhan o fur ar ôl, a'r ochr arall i'r mur hwn yr oedd dau neu dri o dai, sef Tai Lawr. Tai newydd oedd yr enw swyddogol ar y tai hyn, ond Tai Lawr y'i gelwid gan bawb yn y pentref. Yn un o'r tai hyn y ganwyd fy mam, ar 28ain o Fai, 1897. Cyfeiriais yn barod at ei thad, Williams Jones, Bachwr, ac enw ei mam oedd Susannah Jones. Ganwyd a magwyd hi yn Llysfaen, a morwyn yn y Plas oedd hi cyn priodi fy nhaid. Ymddengys bod yr hen wraig yn anllythrennog, oherwydd ar dystysgrif genedigaeth fy mam, dim ond croes a ymddengys wrth ei henw hi. Yr oedd pump o blant yn y teulu, pedair o ferched ac un mab. Collasant efeilliaid ar eu genedigaeth. Enwau'r genethod oedd Annie, Maggie, Susannah a Kate (fy mam), a Llywelyn. Clywais lawer o hanesion difyr gan fy mam am y teuluoedd cyfeillgar a charedig yn Tai Lawr. Rwyf yn cofio dau o'r plant a anwyd drws nesaf i Mam, sef Sally, y ferch, a Robin y mab. I mi, ac i bawb arall, Robin Tai Lawr oedd o i bawb, neu Bob 'Fish', oherwydd crwydrai o gwmpas y pentref gyda basged enfawr yn llawn o bysgod môr. Galwai yn ein tŷ ni yn Eivion Terrace gyda'i fasgedaid o bysgod pan fyddai'n 'stop tap' yn y Nantlle Vale Hotel. Yr oedd yr hen Bob yn gaethwas i'r 'cwrw melyn bach'. Yr oedd yn fandiwr ardderchog, ac yn aelod ffyddlon o Seindorf Arian Dyffryn Nantlle. Yr euphoniwm oedd ei offeryn.

Mae'n rhaid i mi gyfeirio yn fyr at waith fy nhaid yn y chwarel. 'Bachwr' oedd o, ac yr oedd yn waith trwm a chyfrifol. Gweithiai ar fwrdd gyda llawr haearn, a gallai droi carn neu 'handle' a gwthio'r bwrdd nes oedd yn uniongyrchol uwchben y 'dyfnjwn'. Uwchben y Twll Coch y gweithiai, a oedd dros bedwar can troedfedd o ddyfnder, ac edrychai'r dynion yn y twll fel morgrug o fychan. Byddai fy nhaid yn bachu wagenni gwag ar weiren gref, a byddai peiriant yn eu codi a'u cludo ar weiren arall a'u gollwng yn hynod fedrus i'r gweithwyr yn y twll. Dychwelai wagenni yn llawn llechfaen neu rwbel, ac yn yr un modd, dadfachai fy nhaid nhw wedi iddynt gyrraedd ei fwrdd, a'u hanfon, naill ai i'r sied, neu i'w cludo ymaith gan weithwyr cyhyrog ar hyd lein gul o gwr y domen a'u harllwys dros y dibyn. Pan oeddwn yn llencyn, euthum gyda'm taid i sefyll ar y bwrdd uwchben y 'dyfnjwn', a phenderfynais y pryd hynny na fuaswn byth yn mynd i weithio mewn lle o'r fath.

Unwaith yn unig yr hudwyd fi i sefyll yn y fath le. Heb air o gelwydd, ni chysgais winc y noson honno.

Ond sôn yr oeddwn am Tai Lawr. Mewn erthygl ddiddorol yn *Lleu*, cyfeiria Owen Humphries (Now Captan) at Tai Lawr yn ei oes ef:

> Yn fy oes i, y rhai a gofiaf yn byw yno oedd Mr William Jones (Y Bachwr), tad Llywelyn Jones, Brynderwen a Mrs Kate Jones, Eivion Terrace (fy mam). Symudodd teulu William Jones i 7 Nantlle Road, ac yn fuan iawn, yr oedd datblygiad chwarel Dorothea yn gyflym dynnu dan sylfeini y Tai Lawr . . . cwympodd un o'r tai i'r Twll Bach, ac yn fuan wedyn, aeth y datblygiad ar frig y chwarel â'r tŷ arall dros y tipiau.
>
> Yr oeddent yn fythynnod mewn lle braf iawn yn llygad yr haul rhan helaethaf o'r dydd, a gerddi rhagorol o'r tu ôl iddynt yn cynhyrchu bwyd i'r teuluoedd ran helaethaf y flwyddyn . . .

Yr oeddwn yn adnabod Now yn bur dda, er ei fod rai blynyddoedd yn hŷn na mi. Yr oedd popeth a wnâi Now yn ddramatig. Rwy'n ei gofio ar lan afon Llyfni ym mis Awst, a 'lli Awst' yn ei lawn anterth, gyda genwair yn ei law a phryf genwair ar y bach. Byddai Now yn sefyll ar lan y dŵr yn ddramatig, fel Lawrence Olivier yn 'Henry V'. Bu am gyfnod yn gôl-geidwad i dîm pêl-droed y 'Tal-y-sarn Celts'. Yr oedd yn gôl-geidwad ardderchog, ond ar adegau byddai Now yn rhoi deif ddramatig am y bêl, ymhell ar ôl iddi gyrraedd perfedd y rhwyd. Ond yr oedd yn llawer mwy deallus na'r mwyafrif ohonom. Yr oedd yn arbenigwr ym maes iawnderau i'r tlawd a'r anghenus. Cynorthwyodd ddegau o drigolion Tal-y-sarn i lenwi ffurflenni i wneud cais am yr hyn oedd yn ddyledus iddynt, fel budd-dal gwaeledd; budd-dal diweithdra; budd-dal anabledd a llawer mwy.

Roedd Now yn barod i gynorthwyo'r tlawd a'r anghenus bob amser chwarae teg iddo.

Ar ddechrau'r bedwaredd ganrif ar bymtheg, roedd Plas Tal-y-sarn yn ei lawn ogoniant, gyda stablau a cheffylau a thrapiau, a dynion mewn lifrai yn eu gyrru (neu dyna fyddai Mam yn ddweud), Mr John Robinson oedd perchennog y Plas ar y pryd, a byddai yn gwahodd ffrindiau yno yn yr haf, a chynnal partïon ar y lawnt tu allan i ffrynt y Plas. Yn ôl fy mam, byddai hi a rhai o'i chyfeillion yn dringo coeden y tu draw i'r wal, er mwyn gweld y moethusrwydd, yn arbennig y dillad crand a wisgai'r merched. Byddai byrddau bach wedi'u gosod yn ddestlus, gyda lliain gwyn ar bob un, a danteithion o bob math arnynt, danteithion na welsai'r plant eu tebyg erioed, heb sôn am eu blasu. Ambell waith byddai'r partïon hyn yn parhau tan oriau mân y bore, a'r pryd hynny, gosodid lampau gyda chanhwyllau lliwgar ar y byrddau a oleuai bobman. Gallwch ddychmygu'r effaith gawsai golygfa o'r fath ar feddwl a dychymyg geneth fach wyth oed.

Ychydig lathenni o Tai Lawr yr oedd ffermdy Tal-y-sarn. Yn ôl Dr Gwynfor Pierce Jones, yr oedd rhan o'r tŷ dros bedwar can mlwydd oed a ffermdy cyffelyb oedd Plas Tal-y-sarn cyn i berchenogion cyfoethog y chwarel adgyweirio ac ychwanegu at y gwreiddiol dros y blynyddoedd. Y mae'n fwy na thebyg bod tir ffermdy Tal-y-sarn, Tai Lawr, wedi diflannu dan rwbel y chwareli oddi amgylch. Williams Pritchard a'i deulu oedd yn byw yno yn amser fy mam ac yn fy amser innau. Yr oedd galw mawr ar William Pritchard i feirniadu mewn treialon cŵn defaid. Yr oeddent yn deulu hynod garedig a chymwynasgar. Cofiaf enwau tri o'r plant, sef Nel, Dylan a William Gordon, neu Wil Gord fel y galwem ef. Bu Wil yn garedig iawn wrth fy 'nhad a Mam tra'r oeddwn i mewn ysbyty yn Cosford yn ystod yr Ail Ryfel Byd. Yr oedd ef yn gweithio yn Coventry ar y pryd, a byddai'n galw'n rheolaidd yn yr ysbyty ac anfon gwybodaeth o'm cyflwr i'm rhieni. Ar ôl gadael y Llu Awyr a dychwelyd i'm cynefin yn Nhal-y-sarn, byddwn yn galw i weld Wil a'r teulu yn ffermdy Tal-y-sarn. Roedd Dylan Pritchard MA yn ddarlithydd yn Adran Economeg, Prifysgol Bangor, ac ef fu'n gyfrifol am gyhoeddi'r memorandwm *The Slate Industry of North Wales* yn 1946, ar gais cynrychiolaeth o'r Llywodraeth a ddaeth i Gaernarfon i drafod sut y gellid cynhyrchu mwy o lechi yn yr ardal. Cwblhaodd y gwaith mewn pedwar diwrnod. Yn y cylchgrawn *Lleufer*, II, ar 3ydd Hydref, 1946, ymddangosodd erthygl ganmoladwy iawn gan Owen Parry. Meddai:

> Y mae'r rhwystrau a awgrymir i unrhyw adfywiad (yn y diwydiant llechi), yn ddiddorol iawn . . . dangosir mor anystwyth y mae'r llechen yn ymateb i'r farchnad, pan fo'r galw yn cynyddu, a hyn i raddau oherwydd natur y gwaith, ac i raddau oherwydd pechodau'r perchenogion yn y gorffennol. Y pechodau hyn oedd trachwant y perchenogion yn bennaf. Yn hytrach na chludo'r rwbel bellter o'r chwarel, dadlwythwyd ef yn llawer rhy agos i'r twll gan orchuddio'r haen gyfoethog o lechfaen a orweddai odditano, ac o'r herwydd, rhwystro'r gwaith rhag datblygu.

Terfynir erthygl Owen Parry gyda'r geiriau:

> O bryd i bryd, bu chwarelwyr yn dadlau llawer, mewn dosbarth a chaban, am ddyfodol eu diwylliant, a hynny'n aml ar wybodaeth annigonol. Rhydd llyfr fel hwn gyfle iddynt i ddadlau yr un mor gyndyn, ond ar sylfeini llawer diogelach . . .

Canmoliaeth yn wir i fab fferm Tal-y-sarn.

Ar ddechrau'r tri degau, yr oeddem ni'r bechgyn yn dra chyfarwydd â'r hen Blas, er bod y lle yn wag ers blynyddoedd lawer; ond yr oedd teulu yn byw yn y porthordy, sef Mr Griffith, a fuasai ar staff y Plas pan oedd Mr Robinson yn trigo yno. Y porthor hwn oedd yn edrych ar ôl yr ychydig dir o gwmpas y Plas yn fy nyddiau i, ond byddem yn llwyddo i lithro i'r ardd gyda'i blodau a'i llwyni anghyffredin nad oedd eu tebyg yn y pentref, a nifer ohonynt yn hollol ddieithr i ni. Y pryd hynny yr oedd gwydr ar ffenestri'r Plas, a drysau trwchus i gadw pawb allan. Ond yr oeddem wedi darganfod un ffenestr heb glo arni, a thrwy honno byddem yn llithro i mewn i'r adeilad. Nid oedd yno ddodrefn o fath yn y byd wrth gwrs, ond yr oedd amryw o'r ystafelloedd gwely yn cynnwys basinau ymolchi, gyda thapiau dŵr moethus iawn yr olwg. Nid oeddem erioed wedi gweld moethusrwydd o'r fath, ac ar ôl crwydro drwy'r llofftydd, cerddem i lawr grisiau derw cerfiedig i grombil y Plas, lle byddai'r gweision a'r morynion yn lletya. *'Upstairs, Downstairs'* oedd trefn gymdeithasol y Plas, fel pob plas arall yn y wlad. Yma hefyd yr oedd cegin anferth i baratoi bwyd blasus i'r perchennog, ei deulu a'i westeion.

Yn y cefn, ar draws cwrt eang, yr oedd y stablau. Fel y Plas ei hun yr oedd moethusrwydd y stablau, lle cedwid rhyw hanner dwsin o geffylau, yn agoriad llygad i ni. Yr oedd yn amlwg, hyd yn oed i ni'r plant, bod y stablau hyn yn llawer mwy moethus na'r tai a adeiladwyd ar gyfer y gweithwyr a lafuriai i gynhyrchu'r fath gyfoeth. Ond ar y llaw arall, gadewch inni gofio mai menter ariannol beryglus iawn oedd buddsoddi cyfoeth yn y llechfaen. Yr oedd nifer o berchenogion chwareli yn Nyffryn Nantlle wedi mynd i'r wal yn ariannol, nid oherwydd prinder llechi, ond yn hytrach y cwympiadau felltith, y *'falls'* a ddigwyddai yn rhy aml oherwydd dyfnder y twll a achosai wendid yn y graig uwchben.

Chwarel South Dorothea neu Cornwall

Gorweddai'r chwarel hon rhyw ddau gan llath o Dorothea. Dwy chwaer oeddent, oherwydd rhedai yr un haen o Dwll Coch, Dorothea i Dwll Cornwall. Yn ôl yr hanes, yr oedd yma hen, hen dwll yn cynhyrchu llechi efallai yn y ddeunawfed ganrif, neu efallai cyn hynny. Ond tua 1862 y dechreuwyd gweithio yma o ddifri. Chwarel gymharol fechan oedd Cornwall o'i chymharu â chwarel Tal-y-sarn a Dorothea. Yr hen enw arni oedd Cornwall, am fod nifer o weithwyr o waith copr Drws-y-coed wedi dod yno i weithio pan oedd gwaith yn brin yn y mwyn copr; dyna un eglurhad o'r enw a glywais gan rai haneswyr. Enw dieithr i mi yw South Dorothea, sef enw a gysylltir â'r chwarel oherwydd ei hagosrwydd at ei chwaer, Dorothea. Yn ystod fy mhlentyndod, ni chlywais neb erioed yn cyfeirio ati fel South Dorothea; Cornwall oedd hi i ni.

Y mae'r chwarel hon yn agos iawn at fy nghalon, oherwydd yma y gweithiodd fy nhad yn galed yn y twll am flynyddoedd ar ôl gadael y llynges ar ddiwedd y Rhyfel Byd Cyntaf yn 1919. Treuliasai ei ddwy flynedd olaf ar y destroyer, H.M.S. *Caroline*, a chymerodd ran ym mrwydr Jutland. Pan ddychwelodd gartref, cafodd swydd ar unwaith yn chwarel Cornwall. Ar hyd ei oes, bu ef a minnau yn fêts ac y mae gennyf feddwl y byd ohono. Nid oedd yn ysgolhaig, ond gallwn ymddiried ynddo bob amser. Yr oedd yn llawn hiwmor, a byddai'r tŷ yn llawn o chwerthin gyda'r nos, ar wahân i nos Sadwrn pan fyddai'n treulio ychydig o amser gyda'i fêts yn y Nantlle Vale Hotel.

Daeth y gwaith i ben yn Cornwall o gwmpas 1935, a chan mai perchennog Dorothea oedd perchennog Cornwall, symudodd y gweithwyr o'r naill chwarel i'r llall yn hollol ddidrafferth. Pan oeddwn tua deuddeg oed, byddwn yn mynd i gyfarfod fy nhad o'r chwarel ar ôl i'r corn 'caniad' gyhoeddi diwedd gwaith am y diwrnod. Byddwn yn teimlo'n rêl 'llanc' yn cerdded wrth ei ochr, a chael cyfle i gario ei dun bwyd a'i botel de. Yr oedd gweithio yn y twll am wyth awr bob dydd yn waith caled iawn, yn arbennig yn yr haf, a byddent yn chwys diferol, a phan fyddwn yn cydgerdded ag ef ar ddiwedd dydd, byddai cymysgedd o chwys a llwch llechi yn creu arogl arbennig iawn – nid arogl annerbyniol mewn gwirionedd, ond un a erys gyda mi hyd heddiw pan fyddaf yn dychwelyd i'r ardal yn awr ac yn y man. Fy uchelgais ar achlysur fel hyn oedd ffarwelio â'r ysgol cyn gynted ag oedd bosibl, ac ymuno â nhad a'i fêts yn y twll, ond ar ôl edrych arnynt yn dringo ysgolion serth o'r twll i'r wyneb, ar ôl diwrnod caled o waith, penderfynais yn y fan a'r lle na wireddwn byth mo'r freuddwyd os na fyddai rhaid. Yr oeddwn hefyd yn cofio'r profiad erchyll hwnnw pan safwn ar y bwrdd haearn uwchben dibyn Twll Coch, rhyw dri chan troedfedd o danaf. Yr oedd fy nau daid a'u bechgyn wedi treulio oes yn gweithio yn y chwarel, fi mae'n amlwg oedd dafad ddu'r teulu am imi droi cefn ar ein traddodiad chwarelyddol.

Chwarel Dorothea

Dyma, yn ddi-os, frenhines chwareli Dyffryn Nantlle. Nid hi oedd y chwarel hynaf o bell ffordd, ond hi yn sicr oedd y fwyaf o ran maint a chynnyrch.

Mae'n debyg bod yma, ar un adeg, nifer o dyllau bychain a weithiwyd gan deuluoedd neu grwpiau bychain, i gynhyrchu llechi trwchus ac annelwig ar gyfer toau eu bythynnod a chytiau i'w hanifeiliaid. Y mae'n bosibl hefyd y byddent yn allforio llechi o harbwr Caernarfon i'r Iwerddon ar raddfa fechan yn yr unfed ganrif ar bymtheg fel chwareli bychain y Penrhyn. Rhyw £2 2s y flwyddyn a ddisgwylid gan berchennog y tir lle'r oedd y tyllau.

Nid oes gwybodaeth ar gael pryd y daeth y math yma o waith i ben yn y chwareli bychain, ond o gwmpas 1829, daeth gŵr o'r enw William Turner i gloddio o ddifrif am y llechfaen. Cyn mabwysiadu'r Twll Uchaf, a ddaeth yn fuan iawn yn rhan o dyllau ychwanegol a agorwyd gan Turner, buasai ef yn berchennog chwarel Gloddfa Lôn, ac felly yr oedd yn hen gyfarwydd â phosibiliadau chwarelyddol yr ardal. Yn y Twll Uchaf y dechreuwyd o ddifri, a dyma pryd yr agorwyd rheilffordd gul o Dal-y-sarn i Gaernarfon, gyda cheffyl neu geffylau yn tynnu nifer o wagenni haearn yn llawn llechi i'r porthladd i'w hallforio i wahanol rannau o'r wlad a'r cyfandir. Arolygwr chwarel newydd Turner oedd Thomas Edwards, perchennog ffarm y Taldrwst. Ef oedd tad Frances Edwards (neu Fanny) a briododd y Parch John Jones, Tal-y-sarn. Fel anrheg priodas, rhoddwyd siop i'r cwpwl ifanc gan Mr a Mrs Turner. Am flynyddoedd, drws nesaf i gapel cyntaf y Methodistiaid Calfinaidd a agorwyd yn 1821, 'Fanny' fu'n ennillwraig y teulu tra'r oedd ei gŵr ar ei deithiau pregethu trwy Gymru benbaladr. Yr oedd Mr Turner yn byw yn y Parciau ger Caernarfon, a bu ef a'i bartner Mr Morgan yn gweithio'r chwarel lewyrchus hon am ugain mlynedd a mwy, a nhw fu'n gyfrifol am agor tyllau eraill ar lawr y dyffryn, a unwyd yn ddiweddarach i ffurfio un twll anferth, sef twll Dorothea. Pwy oedd Dorothea? Cred rhai mai hi oedd merch perchennog y tir lle agorwyd y tyllau, sef stad Pant Du. Dorothea Gamons oedd enw'r ferch. Boed hynny fel y bo, Dorothea fu'r enw ar y chwarel hon hyd ei diwedd yng nghanol pum degau'r ganrif olaf.

Erbyn 1849, lleihaodd yr elw o'r chwarel, a chan bod Mr Turner yn heneiddio, a'i frwdfrydedd chwarelyddol yn pallu, rhoddwyd y chwarel ar werth. Erbyn hyn yr oedd tri thwll newydd wedi eu hagor ar lawr y dyffryn yn ogystal â'r hen Dwll Uchaf. Y tri thwll oedd: Twll y Weirglodd am mai mewn gweirglodd yr agorwyd ef; Twll Ffiar ('Fire') am mai yma yr ymddangosodd yr ager-beiriant cyntaf yn y chwarel. Yn 1841 y dechreuodd y peiriant newydd ar ei waith, pan sylweddolwyd bod angen mwy na chwimsis i glirio'r rwbel a orchuddiai wyneb y llechfaen. Gwyddai rheolwr y chwarel bod yma gyfoeth o lechfaen, ac y dylid clirio'r rwbel cyn gynted ag oedd bosibl. Dibynnai llwyddiant ariannol y twll ar ba mor gyflym y gellid cludo darnau enfawr o'r llechfaen i'r sied i'w llifio, eu hollti a'u naddu. Dyna paham y sefydlwyd y peiriant stêm i'r Twll Ffiar, i gyflymu'r gwaith. Yr oedd yn beiriant delfrydol i'r gwaith. Yr oedd tân yn y boilar yn creu stêm i droi'r olwynion a godai'r llechfaen, fel y datblygai'r twll. Oherwydd y tân yn y boilar y cawsom yr enw 'ffiar'.

Y Twll Coch oedd yr olaf a agorwyd gan Turner. Dechreuwyd clirio ar ei gyfer yn 1841. Fel yr awgryma'r enw, lliw coch oedd ar y llechen pan ddechreuwyd gweithio ynddo, ond glasgoch fyddai'r lliw wrth iddynt dyllu yn is i'r llechfaen. Cynhyrchwyd rhai miloedd o dunelli o lechfaen o'r twll cyfoethog hwn am dros gan mlynedd a mwy, ac yn ôl yr arbenigwyr, y mae digonedd o lechfaen yn aros yno o hyd. Yr oedd yr haen yma yn drwchus iawn. Pan ddaeth y gwaith i ben ym mhum degau'r ganrif olaf, yr oedd y Twll Coch yn dal yn gynhyrchiol iawn. Erbyn fy oes i, yr oedd y twll yn anferth, ac o gwmpas pedwar can troedfedd o ddyfndra, ac fel yn chwarel Cornwall, syndod i mi fyddai gweld dynion yn eu chwe degau a mwy, ar ôl diwrnod hir o waith trwm, yn dringo'r ysgolion serth o'r gwaelod i'r brig. Meddai R. Williams Parry, yn ei gerdd 'Dyffryn Nantlle Ddoe a Heddiw' (*Cerddi'r Gaeaf* t.83):

Pwy'r rhain sy'n disgyn hyd ysgolion cul
Dros erchyll drothwy chwarel Dorothea?

Byddai'r henafgwyr yn gorfod aros bob hyn a hyn i 'gael eu gwynt atynt'. Ond byddwn yn dotio at rythm y dringo o ris i ris. Ar y brig, yr oedd y bwrdd haearn y byddai fy nhaid yn gweithio arno, a'r lle arswydus a achosodd cymaint ofn i mi wrth edrych i lawr i'r 'dyfnjwn'.

Ar ôl ymddeoliad William Turner, ymddengys nad oedd neb yn barod i brynu'r chwarel, a bu ar gau am fisoedd lawer. Ond ar ôl llawer o drafod ac ymchwil, prynwyd hi gan nifer bychan o weithwyr lleol a weithiai chwarel Pwll Fanog, sef chwarel fechan a oedd mor agos i Dwll Mawr Tal-y-sarn ag oedd yn bosibl i dwll fod. Er mai gweithwyr cyffredin oeddent, y mae'n amlwg eu bod wedi cael blas ar eu hannibyniaeth ym Mhwll Fanog o fod yn rheolwyr yn hytrach na gweithwyr cyflog. Enw tri ohonynt oedd William Owen, John Owen, Hafodlas a John Robinson. Am flynyddoedd bûm dan yr argraff mai y John Robinson hwn ddaeth yn ddiweddarach yn berchennog chwarel Tal-y-sarn a'r Plas. Yr oeddwn yn hollol anghywir. Dengys hyn mor bwysig yw ymchwilio yn fanwl cyn dod i unrhyw benderfyniad pendant. Cysylltais â'r awdurdod yn y maes hwn, sef fy nghyfaill Dr Gwynfor Pierce Jones, brodor o Dal-y-sarn. Y mae ef yn ddi-os yn awdurdod ar chwareli Dyffryn Nantlle a'u perchenogion. Yn ei ffordd ddihafal ei hun, sicrhaodd fi nad oedd cysylltiad o gwbl rhwng John Robinson Pwll Fanog a John Robinson Plas Tal-y-sarn a'r chwarel honno.

Penderfynodd y tri gŵr uchod ffurfio cwmni Cymreig i brynu chwarel Dorothea. Menter yn wir! Rhoddwyd deugain o gyfrannau ar y farchnad, a phrynwyd hwy mewn byr amser. Gorfu ychwanegu at rif y cyfrannau yn fuan iawn, a phrynwyd hanner cant o'r cyfrannau ychwanegol gan y Parch. David Jones, Treborth, brawd John Jones, Tal-y-sarn. David Jones yw awdur yr emyn poblogaidd:

Mae Duw yn llond pob lle,
Presennol ym mhob man . . .

Yr oedd gan John Jones ei hun ddiddordeb mawr yn y fenter, ac yr oedd yntau a Fanny ei wraig yn berchen nifer o'r cyfrannau. Oherwydd ei boblogrwydd roedd ganddo gysylltiadau â llawer o ddynion blaenllaw a chyfoethog ac un o'r dynion hyn oedd Mr John Williams, Plas-yn-Blaenau, Dinbych. Prynodd ef nifer helaeth o gyfrannau. Hefyd, prynwyd nifer fechan gan weithwyr lleol, ond oherwydd eu bod mor ddibrofiad ym maes cyfalafiaeth, ac yn y lleiafrif ymhlith y cyfoethogion, gwerthasant eu cyfrannau i John Williams, Dinbych. O ganlyniad, yr oedd ef yn berchen mwy o'r cyfrannau na neb arall. Er mwyn cadw golwg ar ei fenter, symudodd i fyw i Glan Beuno ger Caernarfon, er mwyn bod yn nes at y gwaith. Dilynwyd ef gan ei fab John A.A. Williams, a briododd ferch John Jones, Tal-y-sarn.

Goruchwyliwr cyntaf y chwarel gyda'r perchennog newydd oedd William Owen, un o'r criw a brynodd chwarel Dorothea, ac un o'i gydweithwyr ef oedd John Lloyd Jones, mab John Jones, Tal-y-sarn. Oherwydd rhyw anghydfod rhyngddo ef a rhai cyfranddalwyr, gorfu iddo ymddiswyddo, a dilynwyd ef gan John Jones, Tal-y-sarn fel goruchwyliwr am yn agos i flwyddyn. Gorfu iddo yntau ymddiswyddo oherwydd anfodlonrwydd ei gyd-weinidogion yn yr enwad am iddo, yn eu tyb hwy, droi cefn ar y pethau ysbrydol a llafurio ym maes materoldeb. Dilynwyd John Jones gan John Robinson (Pwll Fanog). Cydweithiwr gydag ef oedd Thomas Lloyd Jones, mab arall i John Jones, Tal-y-sarn. Ymddengys bod teulu John Jones ynghlwm wrth y chwareli lleol.

Fel y gwyddoch, cyfeirir at y Parch. John Jones fel un o bregethwyr mawr ei oes, a diwinydd blaenllaw, ac yn Gristion heb ei ail, ond yn ôl fy hen gyfaill Huw Ifas

Gwernor, nid dyna oedd barn gweithwyr Dorothea yn ystod ei gyfnod byr fel goruchwyliwr. Ymddengys nad oedd yn boblogaidd o bell ffordd. Yr oedd Huw Ifas yn hen ŵr pan ddywedodd wrthyf ei fod wedi clywed gan weithwyr a weithiai yn chwarel Dorothea yn amser ei dad mai ' . . . hen gythral cas oedd o, heb lawer o gydymdeimlad â'r gweithiwr cyffredin.' Yn y stesion gweithiai Huw Ifas, lle dadlwythai lechi o'r wagenni haearn a gludwyd i'r stesion o'r chwareli cyfagos, a'u gosod yn drefnus mewn wagenni anferth i'w cludo gan y trên i wahanol rannau o'r wlad. Pan fyddai'r tywydd yn wlyb, byddai'r dynion yn llochesu yn y cwt du. Cwt oedd hwn wedi'i baentio â chol-tar oddi allan, ac yn ddu oddi mewn oherwydd mwg stôf anferth ar ganol y llawr i sychu dillad y gweithwyr. Yma y byddai Gwilym R. Jones yn gwrando ar y dynion yn trafod pynciau diwinyddol a gwleidyddol. Meddai yn eu hunangofiant: 'Cof gennyf i mi gael torri fy nghrib yn arw wrth fentro dadlau yn y cwt pan drafodid Athrawiaeth yr Iawn gan y gweithwyr, "Yli llanc," meddai Huw Ifas Gwernor wrthyf, "mi wrandawa i arnat ti wedi i ti ddechra gwlychu dy draed yn y Petha".'

Ymddengys bod yr atgasedd tuag at John Jones wedi parhau am genhedlaeth a mwy ymysg y gweithwyr.

Ond cyn gadael John Jones, gadewch inni geisio deall paham nad oedd ei agwedd yn dderbyniol gan y gweithwyr. Ffarm digon digynnyrch oedd Tanycastell, cartref genedigol John Jones, a gwyddent beth oedd tlodi. Ond er hyn, gallai Siôn William Llwyd, tad John Jones ymfalchïo yn ei achyddiaeth. Yn ôl John Glyn Davies (Fflat Huw Puw), un o ddisgynyddion John Jones, gallent fel teulu olrhain eu tras at deulu Hedd Molwynnog o Uwch Aled yn y ddeuddegfed ganrif. Yr oedd ef yn oruchwyliwr i Dafydd, mab Owain Gwynedd. Ymfalchïai Siôn William Llwyd yn ei dras uchelwrol, ac yng ngwaed yr uchelwyr a lifai yn ei wythiennau. Yr oedd Gwen, merch John Jones, Tal-y-sarn yn wyres i Siôn William, ac yn fam i'r John Glyn Davies uchod.

Ar ei ffordd o Seland Newydd ar ddiwedd y bedwaredd ganrif ar bymtheg, galwodd John Glyn Davies i weld aelodau o'r teulu a ymsefydlasai yn Cambria, Wisconsin, U.D.A. ac mewn erthygl a ysgrifennodd yn ddiweddarach, '*A Liverpool Welsh Family*' (nas cyhoeddwyd), rhydd John Glyn Davies ddisgrifiad byw iawn i ni o'r agwedd uchelwrol hon a berthynai iddynt fel disgynyddion. Ymddengys eu bod yn deg a charedig wrth eu gweision, ond yr oedd yr agwedd 'ni a nhw' yn amlwg iawn yn eu hymddygiad. Nid ymddangosai unrhyw 'agosatrwydd' rhyngddynt a'u gweision, wedi'r cyfan disgynyddion uchelwrol oeddent, ac nid oeddent yn barod i neb anghofio hynny. Yr oedd John Jones, y mae'n amlwg, wedi etifeddu'r genynnau hyn, ac ni allai gweithwyr chwarel Dorothea ddygymod ag agwedd o'r fath.

Ond gadewch inni ddychwelyd i'r chwarel. Yr oedd dŵr yn felltith yn y tyllau hyn, yn arbennig Twll Coch oherwydd ei ddyfnder. Byddai dŵr yn cronni yn gyflym iawn yng ngwaelod y twll wrth iddo lifo i lawr y llechweddau cyfagos, yn arbennig yn y gaeaf, pan fyddai glaw trwm yn gwaethygu'r sefyllfa. Ac nid dŵr o'r llechweddau yn unig a achosai broblem, ond y Llyn Isaf. Yr oedd hwn, fel y Llyn Uchaf, yn anferth o lyn, ac oherwydd ei agosrwydd at chwarel Dorothea, yn fygythiad parhaol.

Cyn dechrau gweithio Twll Ffiar yn 1841, yr oedd rheolwyr y chwarel wedi agor camlas o wyneb gorllewinol Twll Uchaf, i gludo rwbel o'r twll ar ysgraffau a'i dywallt i'r Llyn Isaf, dyma pryd y daethant o hyd i'r llechfaen cyfoethog, sef Twll Ffiar. Oherwydd y darganfyddiad, anghofiwyd popeth am y gamlas, ac ymhen amser, gwendidau yn y gamlas hon a fu'n uniongyrchol gyfrifol am achosi dŵr i orlifo o'r llyn pan gafwyd cwymp yn Nhwll

Coch yn 1858. Boddwyd pump o ddynion. Yn 1884, cafwyd cwymp arall yn nhrymder nos. Diwedd mis Rhagfyr oedd hi, ac yr oedd saith o ddynion yn gweithio yn y nos i glirio ar gyfer y gweithwyr dydd. Ymddengys bod pwysau dŵr o'r Llyn Isaf wedi llwyddo i dorri drwodd i'r twll gan achosi cwymp anferth. Credai'r dynion druan bod y cwymp ar ochr ogleddol y twll, a rhedasant am eu bywydau i gyfeiriad y de. Yn anffodus, ffoesant i ddannedd y miliynau o dunelli o ddŵr oedd yn rhuthro o'r llyn ar yr ochr ddeheuol. Boddwyd y saith ohonynt. Claddwyd pedwar ohonynt ym mynwent Macpela ym Mhen-y-groes, yn yr un bedd, a gwn yn union ble mae'r bedd.

Penderfynodd swyddogion y chwarel na fyddai trychineb o'r fath byth yn digwydd yr eildro, a phenderfynwyd ail-drefnu cwrs afon Llyfni o geg orllewinol Llyn Isaf gan wagio'r dŵr o'r llyn fel nad erys dim ar ôl bellach ond tir soeglyd, hesg tal, brwyn a chartref delfrydol i hwyaid gwylltion nythu. Ni chafwyd trychineb o'r fath byth wedyn. Ar ôl aildrefnu cwrs yr afon, edrychai yn debycach i gamlas nac afon naturiol gyda thwmpathau o bridd bob ochr i'r glannau i rwystro dŵr o'r afon rhag gorlifo ar dir y ffermydd y llifai drwyddynt.

Yn ei gerdd 'Dyffryn Nantlle Ddoe a Heddiw' (*Cerddi'r Gaeaf*, t.83) meddai R. Williams Parry:

> Does ond un llyn ym Maladeulyn mwy.

Cyfeiriad sydd gan y bardd wrth gwrs at ddiflaniad Llyn Isaf pan wagiwyd y dŵr ar ôl trychineb 1884 ac agor yr afon newydd yn 1891.

Ond ar hyd y blynyddoedd, tra bu Twll Dorothea yn cynhyrchu llechfaen, roedd dŵr yn dal yn felltith, ac os edrychwch ar yr hen dwll heddiw, fe welwch mor gyflym y mae wedi ennill y dydd. Ond os oedd chwarel Dorothea i barhau i gynhyrchu llechfaen yr oedd yn rhaid sicrhau rheolaeth ar y dŵr a grynhoai mor gyflym ar waelod y tyllau. Dyna paham y penderfynwyd pwrcasu 'Yr Injan Fawr'. Yr oedd hon yn injan arbennig iawn, ac wedi'i chynllunio i godi dŵr yn gyflym, naill ai o fwynfeydd tun yng Nghernyw, neu lofeydd y de, neu o waelod Twll Coch. Defnyddiaf y gair 'injan' yn hytrach na 'peiriant' am mai dyma'r enw a ddefnyddiai pawb ohonom wrth sôn am yr injan fawr. Dyma'r unig beiriant o'r fath yn chwareli'r dyffryn. Mewn munud o amser gallai hon godi chwe chan galwyn o ddŵr o ddyfnder Twll Coch, tua phum cant o droedfeddi. Dechreuwyd ar y gwaith o osod yr injan yn ei lle yn 1904, a dechreuodd ar ei gwaith yn 1906. Injan drawst oedd hi, gyda'r trawst yn gyfrifol am godi a gostwng y pwmp a godai'r dŵr. Yr oedd yn injan rymus iawn, a phan fyddai'r trawst yn cyrraedd y brig, byddai'r holl adeilad yn crynu. Yn uchel ar fur gogleddol yr injan, yr oedd 'Y Cloc Mawr', gyda thinc a atseiniai ym mhentref Tal-y-sarn ddydd a nos, yn arbennig yn nhrymder nos pan fyddwn yn gorwedd yn glyd yn fy ngwely. Gallai swnio'n fygythiol ambell waith, pan fyddai'n taro hanner nos, a'i sain yn gymysg â chri'r dylluan, ac yr oedd digonedd o'r rheiny o gwmpas y Plas. Nid oedd yr un injan arall yn ddigon grymus i gadw'r dŵr dan reolaeth, a gwnaeth hynny yn ddi-dor am hanner can mlynedd.

Peirianwyr lleol a fu'n gyfrifol am weithio'r injan fawr, ac fe fu tri ohonynt wrthi'n gydwybodol am hanner can mlynedd. Y peiriannydd cyntaf oedd Owen Roberts (Ŵan Robaitch i ni). Trigai ef yn stryd Bryn Hyfryd, yn y tŷ olaf cyn cyrraedd Capel Mawr Tal-y-sarn. Bu ef yn gyfrifol am lwyddiant yr injan am flynyddoedd lawer, nes iddo gyrraedd gwth o oedran. Dilynwyd ef gan ei fab, Morris Roberts (Morris Robaitch i ni), a oedd yn berchennog ffarm fach o'r enw Llwyn Piod. Yr oedd y tŷ ar draws y ffordd i'r

Nantlle Vale Hotel, ond yr oedd yr ychydig dir ar y llechwedd, o dan dir Cae Mawr. Rhyw ddau gae a chors oedd maint y ffarm, gyda rhyw ddwy fuwch (os wyf yn cofio'n iawn) a defaid. Yr oedd un o'i gaeau yn bur agos i Eivion Terrace, ac yn ddelfrydol i chwarae pêl-droed, er ei fod yn bur anwastad. O ganlyniad, yr oedd gelyniaeth gyson rhyngom ni'r plant a Morris Robaitch. Pan welai ni yn ei gae, cynddeiriogai, gan redeg ar ein holau 'fel Mic y milgi cas'. Ond pur anobeithiol fyddai ei ymdrechion, oherwydd yr oeddem ni fel milgwn o gyflym ein hunain, a byddem lathenni yn gyflymach nag ef.

Dilynwyd y tad a'r mab gan fy ewythr Llywelyn Jones, brawd fy mam. Llew Bachwr oedd ei enw gan y pentrefwyr, er na fu erioed yn 'bachu' wagenni fel ei dad ef. Bu'n gyfrifol am yr 'injan fawr' am ugain mlynedd a mwy, tan ei ymddeoliad yn y pum degau. Gweithiai oriau hir, ac yn bur aml, troediai at ei waith tua phump o'r gloch y bore yn y gaeaf pan fyddai'r tywydd yn stormus a glawog, pan fyddai'r dŵr yn y twll yn bygwth. Ambell dro, gweithiai am ddeuddeng awr a mwy. Gŵr bychan oedd o ran taldra, ond yn hynod gyhyrog. Byddwn wrth fy modd yn ei wylio yn bwydo'r boilar anferth gyda rhawiad ar ôl rhawiad o lo, a ymddangosai i mi yn bur ddidrafferth. Ond gallai cadw golwg ar yr injan fawr fod yn waith digon unig.

Roedd Llew a minnau'n fêts mawr, oherwydd yr oedd, fel ei dad, yn heliwr a saethwr heb ei ail – cwningod, ysguthanod a hwyaid gwylltion yn bennaf. Fel ei dad, hela ar gyfer bwydo ei deulu y byddai, nid o ran pleser. Heb os, yr oeddwn innau wedi etifeddu'r reddf, ac yn dyheu am gyrraedd oed pryd y cawn ddefnyddio gwn baril dwbwl fel Llew. I mi, ef oedd fy arwr, oherwydd ychydig ddyddiau cyn Nadolig 1936, cefais y fraint o ddal ei wn baril dwbwl yn fy llaw; aeth â mi allan i'r tywyllwch yn y cefn, rhoddi cetrisen yn y gwn, ac am y tro cyntaf yn fy oes, taniais ergyd i dywyllwch y nos. Yr oeddwn wedi gwirioni, yn arbennig ar ôl teimlo 'cic' y gwn ar fy ysgwydd wrth i'r getrisen ffrwydro.

Yn ystod gwyliau'r haf, 1937, byddwn yn galw i'w weld yn yr injan fawr yn bur aml, a byddai'r ddau ohonom yn eistedd tu allan i'r drws, o dan y trawst anferth a siglai'n swnllyd i fyny ac i lawr yn ddi-stop. Yn y fan honno y byddwn yn gwrando'n gegrwth ar Llew yn adrodd hanesion am hela – ac nid hanesion dychmygol oeddent chwaith.

Rhyw dair blynedd yn ddiweddarach, a minnau yn llanc un ar bymtheg oed, byddwn yn cael gwahoddiad ganddo i fynd i hela'n lleol ar fore Sadwrn, yn gynnar, pan fyddai'r wawr yn torri, gan droedio'r tomennydd i chwilio am gwningod. Pur anaml y byddem yn cyrraedd adre'n waglaw. Dysgais lawer gan Llew sut i drin gwn baril dwbwl, a dysgais lle byddai'r cwningod yn debygol o fod ar dywydd arbennig, ym mha goed y gallem ddod ar draws ysguthanod, ac ym mha ran o hesg y Mwd (yr hen Lyn Isaf) y byddai hwyaid gwylltion yn debygol o gasglu pan fyddai'r gwynt o gyfeiriad arbennig. Ysgol natur yn wir, a ddysgasai ef gan ei dad, William Jones, Bachwr.

Tra'n eistedd tu allan i ddrws yr injan fawr y cefais fy shêf gyntaf, gyda'r hen rasal hen-ffasiwn. 'Gad inni gael gwared o'r blewiach 'na sydd ar dy wyneb di,' meddai wrthyf un diwrnod, a byddai'n trin yr hen rasal mor ddeheuig ag y byddai'n torri bara menyn – byddai ei frechdanau mor denau fel y gallech weld trwyddynt.

Ar ôl ffarwelio â Llew, byddwn yn crwydro i'r sied fawr a chael sgwrs gyda hwn a'r llall. Byddwn yn mwynhau gwylio medrusrwydd y dynion yn eu 'wal', dau fel rheol, y naill yn hollti gyda'i goesau ymhleth, a'r llall yn naddu llechi o wahanol faint – y Prinsus, Dytchis, Cowntis, Ladis (gw. *Chwareli Dyffryn Nantlle*, gan Dewi Tomos, t. 97). Ni fyddwn yn aros yn hir yn y sied oherwydd y llwch trwchus ymhobman – ar wynebau'r gweithwyr; yn drwch ar y llawr; ar y peiriannau, ac ar y celfi a ddefnyddient, ond yn bennaf yn yr awyr, fel na welech o'r naill ben i'r sied i'r llall, a hwnnw'n cael ei anadlu am wyth awr y dydd o fis i fis, o flwyddyn i flwyddyn. Nid rhyfedd bod nifer fawr o'r dynion yn marw'n ifanc oherwydd clefyd y llwch neu silicosis. Ewch i fynwent Macpela ym Mhen-y-groes, a sylwch ar oedran y dynion a gladdwyd yno. Yr oedd hyn yn agoriad llygad i mi flynyddoedd yn ddiweddarach.

Nid ymdrech sydd yma i adrodd hanes chwareli arbennig yng nghyffiniau Tal-y-sarn, ond yn hytrach ceisio dangos bod yr uned rhwng y chwareli a'r pentref yn anwahanadwy. Yn y caban yn ystod eu hawr ginio, cynhelid trafodaethau deallus ar wahanol byncîau. Yr oedd crefydd yn amlwg yn y trafodaethau, fel y disgwyliech yn arbennig yn niwedd y bedwaredd ganrif ar bymtheg a dechrau'r ugeinfed. Cyfeiriais eisoes at Huw Ifas, Gwernor a'i griw yn y Cwt Du (neu'r Cwt Chwain fel y'i gelwid) wrth y stesion, yn trafod pynciau fel Athrawiaeth yr Iawn (yn ôl Gwilym R. Jones), pwnc poblogaidd yn y caban hefyd. Byddai canu emynau mewn bri, mewn pedwar llais wrth gwrs, pan fyddai pawb mewn hwyliau da a gwleidyddiaeth yn naturiol. Y Blaid Ryddfrydol oedd y ffefryn hyd 1945, pan lwyddodd y Llafurwr, Goronwy Roberts, mab chwarelwr o Fethesda a gŵr galluog gyda gradd uchel mewn Saesneg o Goleg Bangor. Rwyf yn cofio'r etholiad hwnnw yn dda, oherwydd dyna'r tro cyntaf i mi bleidleisio mewn etholiad o unrhyw fath. Byddai'r bêl-droed yn bwysig iawn a hynt a helynt Tal-y-sarn Celts yn flaenllaw. Y prif elyn fel y disgwyliech, oedd tîm Nantlle Vale o Ben-y-groes, ac wrth eu sodlau, tîm Mountain Rangers. Roedd Undeb y Chwarelwyr yn bwnc pwysig iawn iddynt. Yr un pynciau a glywech gan y dynion pan fyddent yn cyfarfod yn y pentref, yn y clwb billiards; yn y Nantlle Vale Hotel – gan y mwyafrif, ond nid pawb; yn y cyfarfodydd llenyddol ac mewn tai annedd. Dyma'r uned glòs y cyfeiriais ati uchod rhwng y chwarel a'r pentref.

Roedd Gwilym R. Tilsley yn sosialydd cadarn, ac fel gweinidog gydag enwad y Wesleaid, symudai o fan i fan, boed ogledd neu dde, ac fe enillodd y Gadair yn yr Eisteddfod Genedlaethol am awdl ar y testun 'Cwm Carnedd'. Cawn ddisgrifiad pur gywir ganddo o'r chwarelwr wrth ei waith ar fesur Gwawdodyn, sef nifer o linellau nawban gyda thoddaid hir ar y diwedd. Dyma bedair llinell o'r gerdd:

Yn wyllt eu llafur, hollti, llifio,
Hyd yr hir ganiad a'r awr ginio;
Yna mwyned ymuno – yn y sbri,
Yn yr herian ffri, rhannu, ffraeo.

Sylwch fel y mae naw sillaf yn llinell 1, 2 a 4 a deg yn y drydedd, gydag odl gyrch o ddiwedd y drydedd linell hyd ganol y bedwaredd.

Gweithiai'r chwarelwyr yn galed, wyth awr y dydd, am gyflog prin a than amgylchiadau peryglus iawn. Cwtogwyd eu cyflog os byddai'r tywydd yn anffafriol, a golygai hyn 'stem o goll' iddynt. Ond er y caledi, nid oedd ball ar eu hiwmor, eu ffraethineb a'u caredigrwydd. O! am ddyddiau difyr.

Addysg yn Nhal-y-sarn

Yn ei ddarlith 'A Fynn Esgyn, Mynn Ysgol', cyfeiria'r Gwir Barchedig Gwynfryn Richards, cyn Reithor Eglwys St Rhedyw, Llanllyfni, at erthygl yn *Trafodion Cymdeithas Hanes Sir Gaernarfon* (1957), gan Mr Prys Eifion Owen, lle mae'n sôn am ddyled addysg i grefydd, 'gan ddadlau mai'r bywyd crefyddol oedd y cyfrwng a wnaeth pobl yn gydwybodol o werth addysg fel ysgol i bethau gwell . . . ' Nid oes amheuaeth mai'r Ysgol Sul yn Nyffryn Nantlle a fu'n gyfrifol am y deffroad mewn addysg yn ddiweddarach. Cyfeiriais eisoes at ddylanwad yr Ysgol Sul arna i o'm dyddiau cynnar. Nid oedd galw ar athrawon yr Ysgol Gynradd, neu'r Council School y pryd hynny, i ddysgu darllen inni, yr oedd hynny wedi'i wneud yn drwyadl yn barod yn yr Ysgol Sul. Yn sicr nid oedd gorfodaeth arnynt i roddi gwersi i ni ar wybodaeth Feiblaidd, yr oeddem yn hen gyfarwydd â rhannau helaeth o'r Testamentau, Hen a Newydd. Yn sicr, dyma'r addysg orau a oedd ar gael yn y dyffryn o ddiwedd y ddeunawfed ganrif hyd 1863, pan sefydlwyd yr Ysgol Frytanaidd gyntaf yn yr ardal. Parhaodd yr Ysgol Sul i ddylanwadu yn addysgol ar blant ac oedolion hyd ddiwedd yr Ail Ryfel Byd. Erbyn 1939, yr oedd cyflwr addysg wedi gwella'n aruthrol, gydag Ysgolion Gramadeg a Modern yn frith drwy'r wlad, ond byddai rhai cannoedd o blant yn parhau i fynychu'r Ysgol Sul. Yn anffodus, daeth tro ar fyd, ac ar y cyfan, ychydig iawn o blant heddiw sy'n mynychu'r Ysgol Sul yn rheolaidd.

Nid Thomas Charles o'r Bala oedd y cyntaf i sefydlu Ysgolion Sul yng Nghymru, yr oedd y Parch. Peter Bayley Williams (1763-1836) wedi gweld yr angen am ysgolion o'r fath ymhell cyn i Thomas Charles gychwyn ar ei waith, ond ef oedd y gŵr a osododd yr Ysgol Sul ar seiliau cadarn, sydd wedi bodoli am ddau gan mlynedd a mwy.

Mewn tai annedd y cynhaliwyd yr Ysgol Sul gyntaf yn y dyffryn, ac nid yn Nhal-y-sarn, ond yng nghartref Robert Thomas yn ffarm y Ffridd ar lan Llyn Uchaf Nantlle yn 1785. Cyfeiriais yn barod at dröedigaeth Robert Thomas, pan drodd i mewn i gartref Edward y Teiliwr yng Nghapel Uchaf, i wrando ar wasanaeth gan ddyrnaid o Fethodistiaid, a achosodd iddo droi ei gartref yn Nantlle yn fan cyfarfod i bregethwyr i gynnal gwasanaethau. Yn 1785, sefydlodd Ysgol Sul yno i ddysgu'r plant ddarllen y Beibl. Cynyddodd y nifer ac agorwyd Ysgol Sul yng nghegin y Brenin Edward I yn Nhŷ Mawr, Nantlle a hefyd yn ffarm Gelli Ffrydiau. Parhaodd yr ysgolion hyn hyd 1821 pan agorwyd capel cyntaf y Methodistiaid yn Nhal-y-sarn. Symudwyd yr Ysgol Sul yno.

Ar wahân i'r Ysgolion Sul, nid oedd ysgolion seciwlar o unrhyw fath yn y dyffryn, ac eithrio un a gynhelid yn oriel capel Tal-y-sarn (1821), ac yn ddiweddarach yng nghapel Hyfrydle. Eithriad oedd Angharad James, a oedd yn ferch freintiedig, a'i rheini yn frwdfrydig dros addysg, hyd yn oed i ferched. Y mae'n fwy na thebyg mai y Parch. Ffoulk Price, Rheithor Eglwys St Rhedyw oedd ei hathro yn y clasuron a'r gyfraith sifil, ac yr oedd rhai beirdd medrus a galluog yn y dyffryn i'w hyfforddi yn y mesurau caeth.

Dyma'r sefyllfa addysgol yn Nyffryn Nantlle yn yr ail ganrif ar bymtheg a'r ddeunawfed. Dim ond plant breintiedig a gâi'r cyfle i gael addysg, ond chwarae teg i offeiriaid addysgedig, byddai rhai ohonynt yn barod iawn i roddi hyfforddiant i unrhyw blentyn deallus yn eu plwyf, a rhoddent fenthyg llyfrau i blant tlawd i'w hastudio gartref, a hyd yn oed eu hyfforddi ar eu haelwyd eu hunain, gyda'u plant eu hunain. Derbyniodd nifer o blant tlawd Llanllyfni gefndir o'r fath yn Ficerdy'r Rheithor John Jones. Nid y ffaith bod Angharad James o deulu cefnog a da eu byd a achosodd Ffoulk Price i'w hyfforddi yn y clasuron a'r gyfraith, ond yn hytrach dawn amlwg a photensial y ferch o Gelli Ffrydiau.

Edrycher ar yrfa'r enwog Elis Wyn o Wyrfai (Ellis Roberts, 1827-1895). Yr oedd ef yn gerddor dawnus a bardd, a llawer o alw arno i feirniadu prif gystadlaethau barddol yr Eisteddfod Genedlaethol. Llogai ei dad y felin ar lan afon Llyfni ar draws y ffordd i Eglwys St Rhedyw. Yr oedd Morris Roberts, tad Elis Wyn yn fardd cydnabyddedig yn y mesurau caeth fel ei dad yntau, Robert Morris (Robin Ddu Eifionydd), ac roedd Morris Roberts a Robert Ellis, clochydd a thorrwr beddau yn yr eglwys, yn ffrindiau pennaf. Gŵr hunanddysgedig oedd Robert Ellis, na dderbyniodd addysg o unrhyw fath erioed. Ef oedd awdur *Lloffion Awen Llyfnwy,* sef casgliad ardderchog o garolau plygain ar gyfer y Nadolig a'r Pasg, ond meddai: 'Ni chefais y fraint o gael chwarter o ysgol ddyddiol erioed . . . ', ac nid ef oedd yr unig un o bell ffordd a gwynai am y diffyg manteision mewn addysg yn eu bywydau. Trwy ddyfalbarhad a hunanddisgyblaeth y llwyddodd llawer ohonynt i ddysgu eu hunain yn y ddeunawfed ganrif.

Y mae Elis Wyn yn enghraifft dda o blentyn deallus a ddaeth i sylw'r Parch. John Jones ac a dderbyniodd ei gefnogaeth. Y Rheithor a fu'n gyfrifol am gyfeirio at ddawn y bachgen i Eben Fardd, a'i alluogi i ymaelodi yn yr ysgol enwog honno yng Nghlynnog.

Cyfeiriais eisoes at erthygl Robert Williams, Cae Engan, Llanllyfni, a ymddangosodd yn y *Cymru Coch* (*Cymru,* 1899, t.57). Yn 1828, bu Robert Williams a'i dad allan o waith am saith mis, ac meddai yn ei erthygl: 'Cefais fynd i'r ysgol ddyddiol am y tri mis olaf o'r saith. Cedwid yr ysgol yng nghapel Tal-y-sarn, nid oedd ysgoldai fel yn awr y pryd hynny. Dyma yr yspaid mwyaf o ysgol a gefais yn fy oes. Dyn o'r enw Owen Owens oedd yn cadw'r ysgol. Yr oeddwn y pryd hynny rhwng un a dwy ar bymtheg oed, 1828. Cyn i mi braidd orffen fy chwarter ysgol, cafodd fy nhad waith yn Nhal-y-sarn . . . ac wedi i mi orffen fy chwarter yn yr ysgol, cefais waith gan griw fy nhad i weithio am swllt y dydd.' Beth oedd cwricwlwm yr ysgol honno 'does neb a ŵyr. Cynhaliwyd yn y capel cyntaf, 1821.

Dyma'r sefyllfa addysgol yn Nhal-y-sarn a'r dyffryn yn gyffredinol o ddiwedd yr ail ganrif ar bymtheg hyd hanner olaf y bedwaredd ganrif ar bymtheg. Cawsom Ysgolion Cylchynol Griffith Jones, Llanddowror; ambell i ysgol breifat heb unrhyw reolaeth arnynt; Ysgol Eben Fardd yng Nghlynnog a'r mân ysgolion Gramadeg clasurol eu cefndir addysgol. Ni pharhaodd yr ysgol yn oriel capel Tal-y-sarn yn hir iawn, ond aeth yr Ysgol Sul ymlaen o nerth i nerth.

Y mae'n amlwg felly nad oedd unrhyw fath o drefn nac arolygiaeth addysg yn bodoli cyn yr ysgol Frutanaidd, ac yn ddiweddarach yr ysgol Fwrdd a etholwyd gan y trethdalwyr.

Yr oedd Lloegr ymhell ar y blaen ym myd addysg yn y bedwaredd ganrif ar bymtheg, ar ôl i'r Parch. Andrew Bell (1753-1832) gyhoeddi pamffledi a ddisgrifiai arbrofion a wnaeth i ddysgu plant yn ystod ei gyfnod fel cenhadwr ym Madras. Nid ysgolion dros dro oedd y rhain, ond ysgolion dydd parhaol, a gobeithiai Bell y gellid trefnu cynllun cyffelyb yn Lloegr. Ysgolion eglwysi oedd y rhain, ac yr oedd litwrgi'r Eglwys Wladol yn rhan hanfodol o'r cwricwlwm. Ffurfiwyd dosbarthiadau ar gyfer y plant yn ôl eu hoedran, a wnâi gwaith yr athro yn llawer haws. Yr oedd cynllun o'r fath gam mawr ymlaen yn hanes datblygiad addysg yn Lloegr.

Cawsom yr un syniad gan y Crynwr, Joseph Lancaster, ond credai ef y dylid rhoddi cyfle i bob plentyn beth bynnag fo'i gefndir a'i enwad crefyddol. Dyma ddau gynllun addysgol newydd yn Lloegr, sef yr Ysgol Genedlaethol ac Eglwysig (Bell) a agorwyd yn 1811, a'r Ysgol Frutanaidd (Lancaster) a agorwyd yn 1814 ar gyfer pawb. Ond ysgolion yn Lloegr yn unig oedd y rhain.

Mabwysiadwyd ysgol ryddfrydig Lancaster gan Syr Hugh Owen (1804-81). Yr oedd ef yn awyddus i sicrhau cydraddoldeb rhwng Cymru a Lloegr, yn arbennig mewn addysg, a chan mai Anghydffurfiwr ydoedd, gwelodd fanteision cynllun Lancaster ar gyfer Cymru, ac anfonodd gylchlythyr at ei gydwladwyr yn 1843, yn eu hannog i sefydlu ysgol Frutanaidd Lancaster yn eu hardal. Y canlyniad oedd penodi John Phillips (1810-67), yn drefnydd yng ngogledd Cymru gan y Gymdeithas Frutanaidd. Yn Nhal-y-sarn yr agorwyd yr Ysgol Frutanaidd gyntaf yn y dyffryn, tair wythnos o flaen Llanllyfni (6.7.1863).

Nid oedd adeilad ar gyfer yr ysgol newydd, a chynhaliwyd hi yng Nghapel Mawr Tal-y-sarn, ac yno y bu hyd 1869. Agorwyd ysgol newydd yn 1877 oherwydd y cynnydd yn nifer y disgyblion, ond nid oes gennyf syniad beth ddigwyddodd rhwng 1869 a 1877. Tra'r oeddent yn adeiladu Ysgol y Cyngor yn 1910, gwasgarwyd y plant i wahanol adeiladau yn y pentref, rhai yn y 'Band Room', eraill yn yr 'Assembly' ac eraill yng nghapel Seion. Er bod y Parch. Ffowc Williams a fy nhad yn ddisgyblion mewn ysgol ar ddechrau'r ugeinfed ganrif, ni chlywais y naill na'r llall yn cyfeirio yn union ble'r oedd ysgol 1877.

Un o'r enwogion a anwyd ac a fagwyd yng nghyffiniau Tal-y-sarn oedd R. Silyn Roberts. Ganwyd ef mewn bwthyn diarffordd iawn rhwng y Cynffyrch a Chwm Silyn. Bwthyn unllawr ydoedd, gydag ychydig dir digynnyrch a letyai fuwch a mochyn ac ieir. Yma y byddai Gwilym R. Jones a'i frawd, Dic, yn mynd i gario gwair yn ystod eu plentyndod. Dysgodd Silyn ddarllen ar yr aelwyd gartref cyn ei fod yn saith oed, a dysgodd ei fam iddo nifer helaeth o benillion telyn. Aeth i'r Ysgol Fwrdd yn Nebo, cyn mynd i weithio yn chwarel Dorothea. Oddi yno aeth i Goleg y Brifysgol ym Mangor, a graddio yno. Yna aeth i'r coleg diwinyddol yn y Bala. Yn 1925, sefydlodd Gangen Gogledd Cymru o Gymdeithas Addysg y Gweithwyr. Yr oedd yn fardd ardderchog, a thra'n fyfyriwr ym Mangor, cydweithiai â'r bachgen o Fethel, sef W.J. Gruffudd, a oedd yn fyfyriwr yn Rhydychen, a chyhoeddodd y ddau ohonynt *Telynegion* yn 1900. Enillodd Silyn Goron yr Eisteddfod Genedlaethol, Bangor yn 1904 am ei bryddest, 'Trystan ac Esyllt'. Un o wŷr mawr Cymru oedd o. Addysg gynradd yn unig a gafodd cyn ymaelodi yn y Brifysgol.

Yng nghysgod chwarel y Cilgwyn y ganwyd y Parch. Ffowc Williams, ond gorfu i'r teulu symud oddi yno pan ddaeth y brydles i ben, ac aeth y tŷ a adeiladwyd gan ei dad i feddiant stad Coedmadog. Symudodd y teulu i Tŷ Mawr, a saif ar yr ochr chwith i'r 'ffordd newydd' o Dal-y-sarn i Nantlle. Er ei fod yn byw 'yr ochr draw i'r afon', un o hogia Tal-y-sarn oedd o yn sicr, ac i'r Ysgol Frutaniadd yn Nhal-y-sarn, y byddai'n mynd pan yn blentyn, a gorffen ei gyfnod ysgol yn Ysgol y Cyngor yn 1911. I Gapel Mawr Tal-y-sarn y byddai'n mynd ar y Sul gyda'i dad, cyn ymuno â'i gyfeillion o'r 'ochr draw' yn addoldy Tanrallt. Yng nghapel y Methodistiaid yn Tanrallt y byddai'n mynychu'r 'Band of Hope' a'r Cyfarfod Darllen ac yno y dysgodd Ffowc Williams sut i wynebu cynulleidfa o'r llwyfan. Yr oedd ef a 'nhad yn yr un dosbarth yn yr ysgol ddydd, a phan fyddai Ffowc Williams yn galw i'n gweld yn Nhal-y-sarn pan oedd yn weinidog ym Methesda, byddai yn atgofio hanesion am helyntion fy nhad ac yntau pan oeddent yn ddisgyblion yn yr ysgol. Byddai yn cyrraedd yr ysgol yn hwyr bron bob dydd: ' . . . cyrraedd yno tua chwarter wedi naw fel rheol . . . ac yna cael fy nghroesawu â'r gansen am fod yn hwyr'. Y mae'n syndod pa mor aml y mae'r gair *'cane'* yn ymddangos yn nyddlyfrau'r ysgolion o 1863 ymlaen. Yr oedd genethod yn derbyn y gansen fel y bechgyn cofiwch. 'Yr oeddwn i yn casáu'r ysgol gyda chas perffaith,' meddai Ffowc Williams, a phan yn bedair ar ddeg oed, ffarweliodd a mynd i chwarel Dorothea. Yna, oherwydd prinder gwaith yn y dyffryn, aeth i weithio i un o lofau y de, ac oddi yno i'r fyddin yn 1914. Ar ôl y Rhyfel, aeth i Ysgol Clynnog, cyn mynd i Goleg y Brifysgol ym Mangor, a graddio mewn Hebraeg.

'Yn y cyfnod yma (o tua 1902-11) y caewyd yr hen ysgol, ac yr adeiladwyd yr ysgol newydd – ac yr oedd gwir angen amdani. Ystafelloedd mawr, oer a oedd yn yr hen ysgol, a hen ddesgiau hir, a rhyw bump o boteli inc yn eu llathennu.' Rhyfedd na fuasai Ffowc Williams wedi rhoddi lleoliad yr hen ysgol i ni yn ei ddarlith ym Mhen-y-groes. Ni chlywais fy nhad na mam chwaith yn cyfeirio at y lleoliad.

Saesneg oedd iaith yr ysgol yn 1910, fel yn 1863 a 1877, ac yr oedd yn syndod i mi glywed gan Ffowc Williams bod y plant uniaith Gymraeg hyn yn eu harddegau cynnar, yn dysgu 'Analysis and Parsing' fel rhan o'r cwricwlwm, ond meddai: 'Pan oeddwn yn bedair ar ddeg oed, roeddwn yn medru darllen yn rhugl, cyfrif yn ddiboen, ac roedd gennyf ddwy iaith – y naill cystal â'r llall. Dyma i chwi dystiolaeth go dda o effeithiolrwydd cyfundrefn addysg yr hen gyfnod.' Llwyddiant yn wir, er bod gas ganddo'r ysgol. Ffarweliodd Ffowc a Jac bach Ann Jôs (fy nhad) â'r ysgol yn 1911 pan oeddent yn bedair ar ddeg oed.

Gallaf innau ategu'r geiriau uchod gan y Parch. Ffowc Williams. Derbyniais innau yr addysg orau bosibl gan athrawon cydwybodol yn y 'Council School' yn Nhal-y-sarn.

Byddwn yn mynd i'r ysgol law yn llaw ag Annie May a 'Jin' o Brynderwen pan oeddwn yn bedair oed, a'r gwrthrych cyntaf o bwys a welais yn yr amgylchedd newydd hon, oedd clamp o geffyl pren, ac o'r munud hwnnw ymlaen, yr oedd yr ysgol a minnau'n fêts. Galwais yn yr hen ysgol rhyw ddeufis yn ôl, ac er mawr lawenydd i mi, ynghanol y newidiadau yng nghynllun a chwricwlwm yr ysgol, yno yr oedd yr hen geffyl pren o hyd. Bron iawn i mi ollwng deigryn.

Yn yr 'Infants' yr oedd tri dosbarth, gyda Miss Jones 'Auckland' yn bennaeth yr adran Hi oedd yn gyfrifol am y trydydd dosbarth. Capten llong oedd tad Miss Jones, ac enw ei long oedd 'Auckland'. 'Auckland' oedd enw cartref Miss Jones ym Mhen-y-groes, ar draws y ffordd i Gapel Bethel. Yn y ddau ddosbarth arall teyrnasai Miss Roberts, eto o Ben-y-groes, a Miss Williams, a drigai mewn tŷ mwy na'r cyffredin ar draws y ffordd i'r stesion yn Nhal-y-sarn. Athrawesau caredig a chydwybodol.

Yr oedd pum dosbarth yn yr ysgol fawr, gyda Miss Griffith, Bryn Gelli, Coedmadog Road yn gyfrifol am ddosbarth un. Adar ymfudol oedd athrawon dosbarth dau, byth yn aros yn hir, ac o'r herwydd, nid wyf yn eu cofio o gwbl, ar wahân i un a'm hanfonodd allan i'r coridor i wynebu'r prifathro a'i gansen am gamymddwyn. Y mae'r achlysur yn fyw iawn yn fy nghof – darllen 'Cwm Pennant' gan Eifion Wyn yr oeddem, a phan gyraeddasom y llinell, 'A hendref yr hebog a'i ryw . . . ' yr oeddwn ar goll braidd. Yr oeddwn yn dra chyfarwydd ag anifeiliaid gwyllt yr ardal, ond nid oeddwn wedi clywed y gair 'hebog' erioed. Yn gwrtais, codais fy llaw i'r entrychion a gofynnais yn ddigon diniwed: 'Beth ydi hebog Miss?', ac meddai hithau heb flewyn ar dafod: 'Anifail gwyllt ydy hebog yn byw ar y mynydd, ac oherwydd ei fod yn cerdded ar ochr mynydd, yr oedd ei droed flaen dde, a'i goes ôl dde yn fyrrach na'r ddwy goes arall.' Achosodd hyn fwy o benbleth i mi, a gofynnais iddi ymhen hir a hwyr: 'Os ydyw'r ddwy goes dde yn fyrrach na'r coesau eraill, beth sy'n digwydd i'r anifail ar y ffordd yn ôl, mae o'n siŵr o syrthio.' Cwestiwn teg, ond gan nad oedd ganddi ateb, croesawyd fi gan y gansen.

Yn Standard 3 yr oedd Miss Griffith, athrawes dda iawn. Hi fyddai'n rhoi gwersi inni yn Saesneg, trwy adrodd storïau – storïau fel Hansel a Gretel a *Little Red Riding Hood*. Ar ddiwedd y tymor gofynnwyd inni ysgrifennu un o'r storïau yn ein geiriau ein hunain, a hyd heddiw, cofiaf yn union beth ysgrifennais: '*Once upon a time, a woodcuter and his wife lived in the middle of a great big wood . . .* ' a dyna hi'n '*full stop*' arnaf. Yr oeddwn yn cofio'r stori yn iawn, a buaswn wedi gwneud cyfiawnder â hi yn y Gymraeg yn weddol ddidrafferth, ond nid oedd yr eirfa Seisnig gennyf i gwblhau'r gwaith. Yn ffodus, yr oedd pawb arall yn yr un cwch, ar wahân i Megan Henderson – yr oedd ei mam hi yn Saesnes, a Megan, o'r herwydd, yn ddwyieithog . . . ac yn alluog.

Dosbarth 4 oedd yng ngofal y prifathro, sef am fyr amser, Mr Meiwyn Jones. Boi y gansen oedd ef, fel y mwyafrif o brifathrawon y cyfnod, ond yr oedd yn athro da, a dysgai ychydig o hanes Cymru i ni yn ogystal â'r 3R. Yr oedd yn aelod ffyddlon o Gapel Mawr Tal-y-sarn, yn flaenor gyda llais bâs godidog. Yr oedd prifathrawon y dyddiau hynny yn chwarae rhan bwysig yn y gymdeithas, a byddai llawer o bobl yn galw i weld ein prifathro yn ystod ein gwersi yn bur aml. Yr oedd ganddo ei ystafell fach breifat drws nesaf i Standard 4, ac yno byddai gweinidogion, rhieni, llywodraethwyr yr ysgol ac eraill yn galw i'w weld.

Ond yn Standard 5 derbyniais addysg arbennig o dda, gydag athro dosbarth egniol a chydwybodol, sef John Haydn Jones, yn enedigol o Borthmadog os wyf yn cofio'n iawn. Yr oedd y dosbarth wedi'i rannu yn ddwy ran, sef y rhai hynny oedd yn eistedd y 'scholarship', a'r gweddill oedd yn bwriadu mynd ymlaen i'r ysgol Fodern newydd ym Mhen-y-groes, i ddysgu crefftau o bob math. John Haydn oedd yn ein darparu ar gyfer y 'scholarship', ond ni fyddai'n esgeuluso y rhan arall chwaith trwy roddi iddynt addysg addas. Os wyf yn cofio'n iawn, roedd naw ohonom yn y dosbarth scholarship, ac yn eu plith rhai plant anghyffredin o ddawnus. Daw enwau dwy ferch i'r cof, sef Megan Henderson ac Annie Jones. Merch Alf Henderson oedd Megan, ac Annie yn ferch i Ifan Jôs, Garn. Er mai chwarelwr cyffredin oedd Ifan Jôs, yr oedd yn ddyn galluog, darllengar, ac yn llenor a ysgrifennodd hanes chwareli Dyffryn Nantlle yn bur ysgolheigaidd yn ôl y rhai oedd wedi ei ddarllen. Os rhywbeth, yr oedd Annie yn glyfrach na Megan, ond yn hytrach na mynd i Brifysgol, yn fuan ar ôl gadael yr ysgol, priododd Annie un o'r bechgyn lleol, mab ffarm Bryn Llyfnwy.

Mab Ifan Jôs o'i wraig gyntaf oedd Idwal, ac os bu arwr yn Nhal-y-sarn erioed, Idwal oedd hwnnw. Yr oedd ef yn beilot, ac yn aelod o syrcas Alan Cobham a ai o gwmpas y wlad gyda'i awyrennau i arddangos eu campau. Pan fyddai Idwal yng nghyffiniau Tal-y-sarn, byddai'n hedfan yn isel dros yr ysgol, a byddai'r prifathro yn rhoddi caniatâd inni fynd allan i'r iard i weld Idwal yn perfformio'i gampau yn yr awyr fel 'loop the loop', 'slow rolls' ac eraill. Am ddiwrnodau wedyn byddem ni'r bechgyn yn dynwared y campau hyn yn yr iard gyda'n breichiau ar led yn dynwared eroplên Idwal. Lladdwyd ef yn gynnar yn y tri degau mewn damwain tra roedd yn ceisio codi hances boced oddi ar y llawr gydag adain yr eroplên. Rwy'n sicr erbyn heddiw mai campau Idwal a achosodd i mi fynd yn beilot yn yr Ail Ryfel Byd flynyddoedd yn ddiweddarach.

Cyfnod cyffrous i ni'r plant oedd hwn, gydag eroplên Idwal ar y naill law ac arholiad y scholarship yn agosáu ar y llaw arall. Bob bore byddem yn cynnal gwasanaeth boreol yn y dosbarth gyda darlleniadau gan y plant. Yna treuliem ryw awr yn darparu 'syms' a'r rheiny yn bur aml yn ddigon cymhleth – i mi beth bynnag. Ar ôl amser chwarae, byddem yn ysgrifennu yn Gymraeg a Saesneg, bob yn ail ddiwrnod, dan arweiniad ein hathro, ac yn y prynhawn, byddem yn gwrando arno yn darllen barddoniaeth Gymraeg gan ein beirdd telynegol, fel Syr John Morris Jones, Eifion Wyn, Ceiriog, Alun, Cynan ac eraill. Dyma pryd yr eglurwyd i mi beth oedd 'hebog' o'r diwedd. Byddem yn cael cyfle i ysgrifennu yn ein llawysgrifen orau mewn copi arbennig. Am ryw reswm sy'n annealladwy i mi, nid yw dysgu ar y cof yn bwysig o gwbl yn ein hysgolion heddiw, ar wahân i ysgolion preifat a phreswyl. Y mae cof plentyn fel papur blotio yn ystod blynyddoedd yr Ysgol Gynradd, a gallaf ddweud yn bendant bod barddoniaeth y cyfnod hwn mor fyw yn fy nghof heddiw ag ydoedd pan oeddwn yn Standard 5 – 'Cwyn y Gwynt', Syr John Morris Jones; 'Cwm Pennant', Eifion Wyn; 'Llongau Madog' a 'Nant y Mynydd', Ceiriog, ac eraill. Byddai Haydn Jones yn rhoddi ambell wers inni ar gemeg, a dangos cyfrinach y papur litmus a phwysigrwydd ocsigen. Gwyddai sut i gynnal diddordeb plentyn. Dangosai yr un diddordeb a brwdfrydedd pan fyddai gyda ni yn yr iard yn rhoi 'drill' inni a 'rownders'. Dylanwadodd yn drwm arnaf.

Ar fore hyfryd ym mis Mehefin, cerddodd y dosbarth 'scholarship' ar hyd yr 'Hen Lôn' i'r Ysgol Ramadeg ym Mhen-y-groes, gyda phensil a 'penholder' (nib newydd) a rwler yn ein dwylo chwyslyd. Ymddangosai'r Ysgol Ramadeg yn anferth i ni, gyda dros gant o blant yn rhedeg o gwmpas yn ystod yr amser chwarae. Yr arholiad cyntaf oedd 'Arithmetic' ac yna ar ôl amser chwarae, 'Ysgrifennu

Cymraeg'. Amser 'out' neu amser chwarae, byddai'r bechgyn yn disgwyl amdanom, ac yn 'bedyddio' pob un ohonom gyda dŵr mewn pot jam, i'n derbyn yn aelodau cyflawn o Pen-y-groes County School. Yn ffodus, llwyddodd pob un ohonom yn yr arholiad, ac ym mis Medi 1934, cychwynasom ar ein gyrfa newydd yn yr ysgol newydd, lle treuliais y blynyddoedd nesaf hyd 1941 a'r Rhyfel. Yr oedd athrawon gwych yn y County School, llawn brwdfrydedd a gwybodaeth: Miss P.K. Owen, Miss Matt Pritchard, Miss Morgan, Y Prifathro, Dr J.R. Morgan, C.H. Leonard, T.S. Jones ac eraill. Cawn uchod fraslun o hanes addysg yn Nhal-y-sarn, yn bennaf rhwng 1863 a 1941.

Fel y Parch. Ffowc Williams, derbyniodd fy 'nhad a mam yr addysg orau bosibl yn y Tal-y-sarn Council School, ac er bod y ddau ohonynt wedi gadael yr ysgol yn bedair ar ddeg oed, gallent ddarllen ac ysgrifennu yn y ddwy iaith, a'u gwybodaeth drylwyr o'r 'Tables' yn eu galluogi i drin arian yn gywir. Minnau yr un modd, ond yn wahanol i 'nhad a mam, nid y chwarel oedd diwedd y gân i mi, ond dilyn fy arwr Idwal a hedfan mewn eroplên.

Cerddoriaeth ym mhentref Tal-y-sarn

Beth oedd cyflwr cerddoriaeth yn Nyffryn Nantlle, cyn dyfodiad y Chwyldro Diwydiannol yn ail hanner y ddeunawfed ganrif? Mewn darlith a draddododd Bob Owen, Croesor i Gymdeithas Lenyddol ym Mhen-y-groes yn y tri degau, cyfeiriodd at y sefyllfa gerddorol druenus a fodolai yn y dyffryn. Yr oedd yno amryw o delynorion yn chwarae'r hen alawon ar delynau bregus, gyda rhai tannau ar goll ac eraill wedi torri. Telynorion diddysg oeddent, yn sicr heb y brentisiaeth a oedd yn rhan o addysg telynorion yn yr Oesoedd Canol. Dibynnent yn gyfangwbl ar y glust, ac ar wybodaeth y naill a'r llall. Dyffryn digon diffaith oedd Dyffryn Nantlle y pryd hynny gyda phoblogaeth brin a gwasgarog. Amaethyddiaeth, a'r crefftau hynny a oedd yn gysylltiedig ag amaeth, oedd prif alwad y boblogaeth, ar wahân i waith ysbeidiol yng ngwaith copr Drws-y-coed. Dim ond un pentref o bwys oedd yno, sef pentref Llanllyfni a dyfodd, fel llawer pentref arall, yng nghysgod Eglwys hynafol Sant Rhedyw gyda'i chôr a'i hofferynwyr dibrofiad. Arweinydd y gerddoriaeth fel arfer fyddai'r clochydd.

Dyma oedd y sefyllfa gerddorol yng Nghymru yn gyffredinol yn ôl ysgolheigion diweddar, a'r prif reswm am y dirywiad hwn mewn cerddoriaeth oedd esgyniad Harri Tudur o Benmynydd Môn ar orseddfainc Lloegr ar ôl brwydr Bosworth yn 1485. Yn y frwydr honno, cefnogwyd ef gan lawer o uchelwyr Cymraeg, a phan ymsefydlodd ar orseddfainc Lloegr, yr uchelwyr hyn oedd ei warchodlu.

Gallai ymddiried ynddynt. Dilynwyd yr uchelwyr i'r brif ddinas gan lawer o'r beirdd a'r cerddorion proffesiynol a dderbyniasai eu nawddogaeth yng Nghymru ers 1282. Diflannodd dosbarth arbennig o wŷr proffesiynol o'r gymdeithas, gan adael ar ôl y telynorion a gyfeiriwyd atynt gan Bob Owen, Croesor.

Yn 1621, yn dilyn cyfieithiad William Morgan o'r Beibl i'r Gymraeg, rhoddodd yr Archddeacon dawnus, Edmund Prys, ei *Salmau Cân* i ni, ond Seisnig yw'r deuddeg tôn a ddefnyddiodd ar gyfer y Salmau.

Y ddau ŵr a gychwynnodd y dadeni cerddorol yng Nghymru oedd John Parry Ddall (1710?-1772), neu John Parry, Wynstay ac Ifan Wiliam o Langybi (1706-?), telynor arall yn byw yn Llundain. Y ddau yma roddodd inni'r casgliad cyntaf o alawon Cymreig, 'Ancient British Music, or a collection of (tunes) never before published, which are retained by the Cambro-Britons (more particular in N.W.) and supposed by the learned to be the remains of the Music of the ancient Druids . . . '. John Parry chwaraeodd yr alawon, a chopïwyd nhw gan Ifan Wiliam. Dengys yr Ifan Wiliam hwn gryn wybodaeth o egwyddorion cynghanedd a gwrthbwynt yn ei drefniadau.

Cyfnod tywyll? Ymddengys bod cerddorion dawnus a gwybodus iawn yn Nyffryn Nantlle yn parhau'r traddodiad clasurol a fodolai yn yr Oesoedd Canol, nid i'r un safon efallai, ond gyda'r un brwdfrydedd. Yr oedd Robert Parry o Lanllyfni (1691-1741), yn cael ei ystyried yn delynor gwych ac athro'r delyn. Dywaid Carnhuanawc mai Robert Parry oedd athro telyn yr enwog John Parry, Rhiwabon, neu John Parry Ddall fel y cyfeiriwyd ato oherwydd ei ddallineb. Awgryma J. Lloyd Williams mai o gwmpas 1710 y'i ganwyd, a bu farw yn 1782. Yn ôl Carnhuanawc yn ei *Remains*, yr oedd Robert Parry, Llanllyfni, yn berthynas i John Parry, ac yn athro telyn a oedd wedi etifeddu traddodiad a dawn yr hen delynorion proffesiynol. Ar garreg fedd telynor o'r enw John Jones, dyfynna Carnhuanawc gofnod: 'Disgybl ydoedd i Richard Roberts, Caernarfon a addysgwyd gan Wiliam Williams, Penmorfa, athraw yr hwn oedd John Parry, Rhiwabon, a addysgwyd gan Robert Parry, Llanllyfni.' Yn ôl Bob Owen, Croesor, nid oedd Robert Parry ond un telynor ymhlith amryw a drigai yn yr ardal hon ar ddechrau'r ddeunawfed ganrif.

Roedd Angharad James o Gelli Ffrydiau (1677-1749) yn enwog yn ei dydd am ei dawn fel telynores a'i gwybodaeth am elfennau cerddoriaeth. Yr oedd hi'n fardd medrus hefyd, yn y mesurau caeth a rhydd, ac yn dra chyfarwydd â'r gyfraith sifil. Yn *Cofiant John Jones Tal-y-sarn*, y cawn fwyaf o wybodaeth amdani. 'Nid ydym yn gwybod ym mha le y derbyniodd ei haddysg,' meddai'r Parch. Owen Thomas, awdur y cofiant, ond mae'n bosibl mai'r Parch. Ffoulk Price, Rheithor Eglwys St Rhedyw, Llanllyfni oedd ei hathro yn y clasuron a'r gyfraith. Ond pwy oedd ei hathro cerdd? Meddai J. Lloyd Williams yn ei lyfr *Y Tri Thelynor* (t.28): 'Mewn llythyr ataf, rhydd Bob Owen, Croesor rai o enwau telynorion o'r ardal ffrwythlon hon . . . ac yn eu plith rwyn siŵr yr oedd dyrnaid o delynorion â'r ddawn a'r wybodaeth ganddynt i hyfforddi'r ferch dalentog o Gelli Ffrydiau.'

Yn bur agos at gartref Angharad James, rhyw led cae i ffwrdd, yr oedd tafarn o'r enw Telyrnia, lle trigai yr enwog Marged uch Ifan a'i gŵr Richard Morris, y ddau ohonynt yn delynorion dawnus iawn. Yma y byddai mwynwyr Drws-y-coed yn torri eu syched ar ôl diwrnod caled o waith yn y gwaith copr. Yr oedd Richard Morris yn athro'r delyn a chanddo nifer o ddisgyblion o'r dyffryn a thu hwnt. Ond symudodd y ddau i gartref newydd ym Mhen Llyn, Llanberis. Yn ôl yr hanes, yr oedd Marged yn feistr ar y delyn, y crwth a'r ffidil, ac fe'i hanfarwolwyd gan Thomas

Pennant yn ei lyfr, *Tours in Wales*. Ond cofier, un o Ddyffryn Nantlle oedd Marged a'i gŵr.

Ymddengys felly nad oedd y sefyllfa gerddorol mor ddifrifol yn y dyffryn ag y tybid gan rai ysgolheigion. Pan gyrhaeddodd canlyniadau'r Chwyldro Diwydiannol, trowyd dyffryn gyda phoblogaeth wasgarog yn llawer mwy poblog, gyda phentref Tal-y-sarn yn tyfu o flwyddyn i flwyddyn. Perchenogion tyddynnod ar y llechweddau oedd y boblogaeth wreiddiol, gyda'u canu gwerin a'u carolau plygain. Dyma oedd eu hetifeddiaeth, a daeth y traddodiad hwn yn rhan o'r gerddoriaeth Seisnig a ddaeth i'r pentref yn ddiweddarach yn y bedwaredd ganrif ar bymtheg. Ond yr oedd y Gymraeg yn berffaith ddiogel.

Yn y cyfnod hwn, sef ail hanner y bedwaredd ganrif ar bymtheg, yr oedd Tal-y-sarn yn fwrlwm o gerddoriaeth, yn unawdwyr, grwpiau, corau meibion a merched a chorau cymysg.

Yr oedd dylanwadau arbennig yn gyfrifol am y datblygiad cerddorol hwn yn Nhal-y-sarn, a thrwy Gymru benbaladr o ran hynny, sef yn gyntaf, y Diwygiad Methodistaidd yn 1736, a bwysleisiai ganu cynulleidfaol o safon yn y gwasanaethau crefyddol. Cyfansoddwyd tonau Cymreig ar gyfer yr emynau, yn hytrach na mabwysiadu tonau Seisnig, di-chwaeth yn aml. Adeiladwyd capeli enwadol ym mhob pentref, lle cynhelid cymanfaoedd o safon yn ail hanner y bedwaredd ganrif ar bymtheg. Cafwyd dynion brwdfrydig fel Ieuan Gwyllt (1822-77) a chyfansoddwyr fel John Ambrose Lloyd (1815-74) yn gwella safon caniadaeth, ac yr oedd organyddion dawnus yn cyfeilio. Yr ail ddylanwad oedd effaith y Chwyldro Diwydiannol a fu'n gyfrifol am greu cymunedau poblog o gwmpas y gweithfeydd yn ne a gogledd Cymru. Daeth grwpiau cerddorol i fodolaeth, yn arbennig grwpiau lleisiol. Ond y mwyaf dylanwadol o bell ffordd oedd dyfodiad

Tonic Sol-ffa yn ail hanner y bedwaredd ganrif ar bymtheg. Y gŵr a fu'n gyfrifol am y datblygiad hwn yn ddi-os oedd Eleazar Roberts (1825-1912). Erbyn 1866 cynhelid dosbarthiadau sol-ffa ym mhob Ysgol Sul yng Nghymru, ac erys llawer 'modulator' o hyd yn magu llwch ar silffoedd yn ein capeli – gwaetha'r modd. Tyfodd y dull hwn o ddarllen cerddoriaeth yn eithriadol gyflym, er mawr syndod a dicter yr 'arbenigwyr' ym myd hen nodiant. Ymddangosodd cylchgrawn *Cerddor Tonic Sol-ffa* am y tro cyntaf yn 1869, a chynhaliwyd arholiadau, gan roddi tystysgrif arbennig i'r rhai oedd yn llwyddo i gyrraedd y nôd.

Pan oeddwn yn blentyn yn yr Ysgol Gynradd, yn y tri degau, byddwn yn mynychu dosbarth Owen Owen (Now Now), Eivion Terrace, a derbyniais gefndir cadarn ganddo, er mai chwarelwr cyffredin ydoedd, yn trafferthu newid o'i ddillad gwaith, ar ôl diwrnod caled i'n dysgu ni yn festri'r capel.

Fe synnech gymaint o enwau trigolion Dyffryn Nantlle a ymddengys yn y cylchgrawn *Cerddor y Tonic Sol-ffa*, yn hanner olaf y bedwaredd ganrif ar bymtheg. Yn anffodus, enwau yn unig a gynhwysir, heb gyfeiriad, ond yr oedd y mwyafrif o Dal-y-sarn. Ar y dechrau, bychanwyd y nodiant newydd gan yr hen gantorion, oherwydd credent mai dyfais ar gyfer gwerin ddiddysg ydoedd. Yr oedd snobyddiaeth cerddorol mor amlwg y pryd hynny ag ydyw heddiw. Argyhoeddwyd nhw yn fuan iawn o werth sol-ffa pan welent blant bach yn darllen cerddoriaeth yn rhwydd, cyflym a didrafferth. Dyma fel y disgrifia J. Lloyd Williams y sefyllfa yn 1862 (*Atgofion Tri Chwarter Canrif*): 'Un nos Sadwrn, tra'r oedd fy nhad yn darllen a'm mam yn diwyd nyddu gofynnais, "Nhad, pam na wnaiff pobol y capel roi Mr Williams i ddechra canu a fynta'n well na neb arall?" "O, cenfigen 'machgen i," oedd yr ateb. "Be 'di cenfigen?" gofynnais. "Gwenwyn, John, gwenwyn," ebe fy mam, gan roddi tro mwy chwyrliol nag arfer yn y droell. Nid oeddwn fawr nes i ddeall wedyn, ond tybiwn ar sgwrs fy rhieni fod yr "hen notars", pwy bynnag oeddent, " . . am ladd yr hen sol-ffa wirion yna". "Wyt ti'n meddwl, Robin y deil o?" ebe fy mam. "Wel," oedd yr ateb, "os ydy o'n peri bod plant fel John 'ma yn darllen miwsig yn rhwyddach na hen gonos sydd wedi bod yn stydio'r hen nodiant ar hyd eu hoes, mi fasa'n resyn gadael i sol-ffa farw".' (Cyf. 1, t. 55)

Felly, rhwng 1766 a 1866, datblygasai cerddoriaeth yn Nhal-y-sarn tu hwnt i bob dychymyg, a'r prif reswm oedd dyfodiad Tonic Sol-ffa i'r ardal. 'Caned Pawb' oedd arwyddair Ieuan Gwyllt yn 1859, ac ymhen deng mlynedd, gallai dros naw deg y cant ddarllen cerddoriaeth.

Ond cofier mai'r Parch. John Jones hunanddysgedig oedd yr arloeswr yn y maes cerddorol yn Nhal-y-sarn yn hanner cyntaf y bedwaredd ganrif ar bymtheg. Bu ef ar hyd ei oes yn ceisio gwella safon Caniadaeth y Cysegr, yn bennaf trwy agor Ysgol Gân yn Llanllyfni a Thal-y-sarn. Yr oedd yr ysgolion hyn yn hynod boblogaidd ymhlith yr ifanc, a thyrrent i'r Ysgol i ddysgu'r tonau newydd gan gyfansoddwyr Cymraeg. Disodlodd y tonau newydd hyn yr hen donau Seisnig di-chwaeth a fabwysiadwyd gan William Williams, Pantycelyn. Ond sylwer, dysgu wrth y glust y byddai dilynwyr John Jones, nid darllen cerddoriaeth. Y tonau newydd hyn oedd 'pop songs' yr ifanc, ac yr ydym yn ddiolchgar i ddynion fel John Jones am eu brwdfrydedd a'u dyfalbarhad.

Mewn erthygl ddiddorol dyddiedig Mai 1af, 1869, cyfeiria un a eilw ei hun yn 'J.H.' at y dull newydd o ddarllen cerddoriaeth, meddai: 'Ceir rhai yn defnyddio'r hen nodiant, a'r lleill y newydd; ond y newydd yw'r mwyaf blodeuog yn bresennol . . . ' Yn ddiweddarach yn ei erthygl, cyfeiria 'J.H.' at:

Addoldy hardd gan y M.C. (Hyfrydle 1866). Y mae yn y fan yma eto doreth o solffayddion, ac y mae dyn ieuanc o'r enw Trefor Lewis yn cynorthwyo gyda'r gwaith. Y mae Côr yma, yn cael ei wneud i fyny o bersonau mewn oed, ac o wahanol leoedd . . . Un o'r nosweithiau cyntaf ar ôl sefydlu y Côr hwn, daeth Mr Lewis ag Anthem i sylw, a dywedyd ei fod yn bwriadu cael ei dysgu, a thaflodd ychydig gopïau ohoni o flaen y Côr. Yr Anthem oedd: 'Eiddo yr Arglwydd y Ddaear' gan L. Mason. Meddyliasom ar y dechrau mai meddwl am i bawb fyned a hi gydag ef adref yr oedd Mr Lewis, a'i dysgu felly, oherwydd nid oedd neb yno wedi ei gweled o'r blaen, ond nid felly y bu. Rhoddwyd y DOH allan, a dechreuwyd ar ei chanu yn ddi-oed, ac yr oedd pawb yn gallu ei darllen gyda llawer o rwyddineb. Dyma fras ddarluniad o'r hyn sy'n mynd ymlaen mewn cysylltiad â'r sol-ffa yn Nhalysarn a'r ardal . . . (Yr oedd disgynyddion Trefor Lewis yn gerddorion medrus, ac yn aelodau brwdfrydig o'r band.

Pwy oedd y 'J.H.' hwn! Cefais wybodaeth gan fy hen gyfaill Huw Williams, arbenigwr ym maes emynyddiaeth. Daethai Huw ar draws cyfeiriad yn *Y Goleuad*, Gorffennaf 1905 at farwolaeth un John Hughes o Bendyffryn, Tal-y-sarn – beirniad a cherddor dawnus. Hwn debygwn i oedd 'J.H.'.

Oherwydd y cynnydd hwn mewn darllen cerddoriaeth trwy gyfrwng y Sol-ffa, tyfodd adrannau lleisiol yn yr eisteddfodau lleol, gan gynnwys y Genedlaethol. Byddent yn perfformio oratorïau gan Handel, Bach, Haydn a Mozart – ond gyda geiriau Saesneg, a byddai'r rhain yn tagu yr hen ganu traddodiadol Cymraeg.

Mewn erthygl yn *Taliesin*, Gorffennaf 1967, cyfeiria Hywel Teifi Edwards at Eisteddfod Genedlaethol Caer yn 1866: '. . . a Chymru bellach yn glaf o dwymyn y tonic sol-ffa, y cafwyd gyntaf gystadlaethau a thipyn o raen arnynt . . . ' Fel y gwelsom, erbyn 1866, sefydlasai Tonic Sol-ffa yn gadarn yn Nhal-y-sarn yn ogystal.

Roedd safon y canu hwnnw ganmil gwell, oherwydd gwyddai'r cantorion beth oedd y nodau cywir mewn tôn pedwar llais, neu Anthem neu gorws seciwlar, ac anelai'r arweinyddion at safon lawer uwch na'u cyndadau. Gwn o brofiad fel y byrlymai canu swynol, cytbwys, pedwar llais o bob capel yn y pentref a'r eglwys, a byddai'r cynulleidfaoedd yn ymhyfrydu yn eu dawn i greu sain bersain a roddai foddhad iddynt. Effeithiodd canu cynulleidfaol Capel Mawr Tal-y-sarn yn drwm arnaf; sain hudolus i'm clustiau ydoedd, a erys yn y cof hyd heddiw. Nid gormodiaeth yw hyn, ond gwirionedd.

Hyd yn hyn y canu cynulleidfaol crefyddol dderbyniodd ein sylw, fel y dylai, ond erbyn diwedd y bedwaredd ganrif ar bymtheg, cynhelid cyngherddau fyrdd yn yr Assembly Rooms yn Nhal-y-sarn, gydag unawdwyr, deuawdau a phedwarawdau, partïon a chorau o bob math yn ymddangos yn gyson ar y llwyfan, gyda'u caneuon seciwlar Cymraeg a Saesneg. Cyngherddau elusennol fyddai'r rhain fel rheol, i roddi cymorth ariannol i deuluoedd oedd yn dioddef prinder arian oherwydd salwch y penteulu, a chredwch chwi fi, yr oedd darfodedigaeth (tuberculosis, y diciâu), ac effaith llwch y llechen ar yr ysgyfaint yn rhemp yn y dyffryn. Nid oedd budd-dal i'w gael y dyddiau hynny.

Yma, yn yr Assembly Rooms, y clywais ganeuon seciwlar poblogaidd gan gyfansoddwyr fel R.S. Hughes, Joseph Parry, Daniel Protheroe, William Davies ac eraill, caneuon fel 'Arafa Don', 'Blodwen', 'O na byddai'n haf o hyd'. Yr oedd y gerddoriaeth seciwlar hon yn sicr yn ehangu ein gwybodaeth gerddorol.

Cyfeiriodd 'J.H.' uchod at ddau grŵp o 'Glee Singers' yn Nhal-y-sarn. Derbyniodd un o'r grwpiau hyn beth cyhoeddusrwydd yn newyddiaduron y cyfnod dan sylw, yn chwe degau cynnar y bedwaredd ganrif ar bymtheg. Arweinydd ac athro y parti hwn oedd Hugh Owen (1832-97), yn wreiddiol o Fotwnnog. Derbyniasai addysg dda yn yr hen Ysgol Ramadeg, cyn sefydlu yr Ysgolion Canolraddol (Intermediate Schools) yn yr wyth degau. Fel pob Ysgol Ramadeg arall, y clasuron oedd prif bynciau'r cwricwlwm, ond y mae'n amlwg ei fod yn gerddor, gyda gwybodaeth eang o elfennau cerddoriaeth. Yr oedd yn ganwr, yn bianydd, yn athro ac yn gyfansoddwr. Crydd ydoedd wrth ei alwedigaeth, ac ymsefydlodd yn Nhal-y-sarn gyda'i wraig a'i blant, i ddilyn yr alwedigaeth honno. Ym Mhenyryrfa yr ymsefydlodd gyntaf, sef clwstwr o dai a lechai yng nghysgod yr hen 'bont fawr' a groesai'r ffordd o Dal-y-sarn i Nantlle, ychydig lathenni o dwll dychrynllyd Tal-y-sarn ar y naill law, a thwll erchyll y Gloddfa Goed ar y llaw arall. Ym Mhenyryrfa y trigai un o'm hathrawesau cynnar yn Ysgol Bach Cefn Siop, sef Mrs Williams, mam Evan Bach neu Ebenezer Williams. Yr oedd ganddo lais tenor ardderchog, bron na allech gyfeirio ato fel uwch-denor (counter tenor).

Fel y cynyddai teulu Hugh Owen, gorfu iddo symud o Benyryrfa i dŷ o'r enw Bryn Coed. Erys y tŷ yno o hyd, sef y tŷ olaf ar ochr dde'r ffordd a arweiniai i hen chwarel Tal-y-sarn. Yn y tŷ hwn y treuliodd Mary Catrin, ei ferch, y gweddill o'i hoes, hyd yn oed ar ôl priodi William Williams (Wil Bryn Coed, y cyfeiriais ato uchod).

Ymddengys, yn ôl yr adroddiadau a gyhoeddwyd amdanynt, bod y 'Talysarn Glee Singers', dan arweiniad eu harweinydd medrus, yn hynod boblogaidd pa le bynnag yr elent, a'u canu bob amser o safon uchel. Ymddangosasant ar lwyfannau ymhell o'u cynefin, gan gynnwys rhai o ddinasoedd mwyaf Lloegr, yn arbennig Lerpwl a Manceinion. Parti cymysg ydoedd, a ganai ganeuon seciwlar a chrefyddol, Cymraeg a Saesneg. Ymhyfrydai'r cantorion yn eu dawn a'u medrusrwydd cerddorol, er eu bod, yn ôl 'J.H.' uchod: ' . . . yn llafurio gyda'r hen nodiant.'

Enillodd Hugh Owen y wobr gyntaf yn Eisteddfod Genedlaethol Porthmadog yn 1871, am ei gân boblogaidd i soprano, 'Deigryn ar fedd fy mam'. Ef hefyd oedd arweinydd y gân yng Nghapel Mawr Tal-y-sarn, lle gwasanaethodd am ddeugain mlynedd.

Mab Hugh Owen oedd Richard Griffith Owen (1869-1930). Ei ffugenw oedd Pencerdd Llyfnwy. Addysgwyd ef gan ei dad, a datblygodd yn gerddor cenedlaethol. Gallai chwarae'r sielo a'r clarinet, dawn anghyffredin iawn yn Nhal-y-sarn y dyddiau hynny, ond yn ogystal, gallai drefnu cerddoriaeth ar gyfer gwahanol offerynnau cerddorfa. Trefnai gerddoriaeth o'r fath ar gyfer cerddorfeydd drwy Gymru benbaladr. Enillodd yn Eisteddfod Lerpwl am gantawd, yn Eisteddfod Corwen am drefnu alawon Cymreig ar gyfer cerddorfa, ac yn Eisteddfod Môn am drefniant offerynnol o'r gân 'O na byddai'n haf o hyd'. Ymddengys rhai o'i gyfansoddiadau mewn llawysgrif a adawodd ar ei ôl. Ymddangosodd un o'i donau 'Bryn y Coed', yn Llyfr Emynau a Thonau y M.C. (Tôn 285). Ymddengys hefyd yn llyfr emynau'r Wesleaid.

Brawd i R.G. Owen oedd O. Llew Owain, y newyddiadurwr a'r llenor amryddawn a dreuliodd oes fel gohebydd gyda'r 'Genedl' yng Nghaernarfon. Brawd arall iddo oedd William Owen, tad y diweddar Elfed Owen. Ar ei ymddeoliad, ymsefydlodd Elfed yn Nhal-y-sarn ar ôl blynyddoedd fel athro ym Mhenbedw. Fel ei ewythr a'i daid, yr oedd Elfed yn gerddor dawnus iawn, ac enillodd amryw o weithiau yn yr Eisteddfod Genedlaethol am gyfansoddi tôn. Bu Eirianwen Owen, ei chwaer, yn gyfeilyddes ffyddlon a medrus yng Nghapel Mawr am flynyddoedd lawer. Yr oeddwn yn adnabod William Owen, tad Eirianwen ac Elfed, ac yr oeddwn yn bur gyfeillgar â'r ddau ohonynt. Gydag Eirianwen y dechreuais ddysgu chwarae'r piano, er na pharhaodd yr ymdrech yn hir iawn, oherwydd ni allai 'nhad a mam fforddio talu swllt yr awr am wers. Ni chafodd Elfed druan y derbyniad cynnes a ddisgwyliai gan y trigolion lleol. 'Ni werthfawrogir prophwyd erioed yn ei wlad ei hun.'

Cyfrannodd teulu Hugh Owen yn helaeth tuag at ddatblygu safon cerddoriaeth yn Nhal-y-sarn heb ddim os, ond yr oedd teuluoedd eraill yn y pentref, heb fod mor enwog â'r Oweniaid efallai, ond eto yn gerddorion dylanwadol yn y Gymdeithas, yn arbennig y rhai a oedd yn gysylltiedig â'r band. Dynion fel Johnny Miss, Tom Sarah, Ben Jones ac Alf Henderson, i enwi dim ond rhai, a ranasant eu dawn a'u brwdfrydedd yn hael i genedlaethau o blant ac oedolion. Heb ddim os, gwireddwyd arwyddair Ieuan Gwyllt, 'Caned Pawb' yn ystod y cyfnod hwn.

Un o aelodau blaenllaw y 'Glee Singers' oedd merch ifanc o'r enw Mary Owen. Fel aml i deulu arall yn Nhal-y-sarn, ymfudasai hi a'i theulu o Fôn pan ddaeth terfyn ar waith copr Mynydd Parys. Yr oedd Mary yn gerddorol iawn, ac yn gantores wych, a hi oedd prif unawdydd y parti, ac o'r herwydd, defnyddiai yr enw proffesiynol, Mair Alaw. Yr oedd ei chartref yn Cavour Street, sef y strimyn o dai a ddringai o'r hen Swyddfa Bost hyd at Gapel Seion. Aelod arall o'r parti oedd William Francis, yn enedigol o Ryd-ddu, ond yn ddiweddarach, o'r Clogwyn Brwnt, hanner ffordd i fyny allt Drws-y-coed. Stiward yn chwarel Prince of Wales yng Nghwm Pennant oedd William Francis. Priodwyd Mary a William, a ganwyd dau fab iddynt, sef Griffith ac Owen yn eu cartref, Bryn y Wern yng Nghwm Pennant. Bu farw William a Mary o fewn tair blynedd i'w gilydd, pan oedd Owen, yr ieuengaf, ond tair blwydd oed. Magwyd Griffith ac Owen Francis gan eu taid a'u nain yn y Clogwyn Brwnt. Y bechgyn oedd y Brodyr Francis a oedd yn enwog trwy

Gymru benbaladr a thu hwnt. Yn nechrau'r tri degau, byddent yn darlledu o Iwerddon, o Orsaf Athlone, a gellwch ddychmygu'r cyffro yn y dyffryn pan fyddai'r ddau ar y radio, er mai ychydig yn unig o deuluoedd Tal-y-sarn a oedd yn berchen radio. Byddai eu tai yn orlawn.

Bu'r pwyslais hyd yn hyn ar gerddoriaeth leisiol yn y pentref yn bennaf, ond gadewch i ni ganolbwyntio ar Seindorf Arian Frenhinol Dyffryn Nantlle. Yn anffodus, ychydig yn unig o hanes twf y band sydd ar gael, ar wahân i rai ystadegau cyfrifon, ac o'r herwydd yr wyf yn ddiolchgar i'm hen gyfaill John Llywelyn Roberts am y pamffled a gyhoeddwyd ganddo yn 1965, sef crynodeb o 'Hanes Seindorf Arian Frenhinol Dyffryn Nantlle' o 1865-1965. Sefydlwyd y band yn 1865 yn chwarel Penyrorsedd gan berchennog y chwarel honno, sef Mr Derbyshire. Yn hanner olaf y ganrif, yr oedd band yn ffasiynol bron ymhob ardal ddiwydiannol ym Mhrydain. O gwmpas 1863, ehangwyd y band i gynnwys yr holl ddyffryn, a newidiwyd enw Seindorf Arian Penyrorsedd yn Seindorf Arian Dyffryn Nantlle. Llwyddodd aelodau'r band, y mwyafrif ohonynt yn chwarelwyr cyffredin, trwy eu brwdfrydedd a'u dyfalbarhad, i addysgu eu hunain i fod yn offerynwyr ardderchog, gan gynnwys y dechneg o ddarllen hen nodiant a meistroli'r offerynnau nes creu band a ddaeth yn ddiweddarach yn y ganrif yn enwog trwy Brydain. Edrychwch ar lwyddiant y band mewn cystadlaethau rhwng 1874 a 1925. Ennill y wobr gyntaf wyth gwaith yn yr Eisteddfod Genedlaethol yn nosbarth 'A'; ail ym Mhlas Grisial yn 1902; eto, cynrychioli Cymru yn Neuadd Frenhinol Albert yn Llundain ar achlysur Jiwbilî Arthur Sullivan. Record i ymfalchïo ynddi yn wir. Hyd dri degau'r ganrif olaf, os oeddech yn aelod o'r band, derbyniech barch yr holl bentref. Gallai'r arweinydd ddethol a dewis o blith nifer sylweddol o ddynion ifanc a oedd yn awyddus i ymuno â'r band, a llawer ohonynt o safon uchel. Ambell waith, byddai rhai aelodau yn derbyn swydd mewn gweithfeydd yn Lloegr oherwydd eu dawn fel bandwyr, yn eu plith Alf Henderson (Prescot) a Morgan John Jones. Perfformiwr gwych ar y trombôn oedd Emlyn Jones (Emlyn Trombôn) a aeth i Morris Motor Works, tad yr enwog ddiweddar Siân Emlyn.

Dyma enwau rhai arweinyddion y Seindorf arbennig hon dros y blynyddoedd: Tom Sarah; Ben Jones; William John Roberts (chwaraewr cornet soprano heb ei ail); John Hughes Evans (Johny Miss); Harry Heyes; Alf Henderson; Morgan John Jones; Wil Rogers ac Eddie Moss. Yr oeddwn yn adnabod pob un ohonynt ar wahân i Tom Sarah, Johny Miss a William John Roberts.

Yn ei lyfr o farddoniaeth, *Telyn Eryri*, ymddengys cerdd gan Griffith Francis, yr awdur, sef 'Cwymp Arweinydd' (t.70). Cyfeiriad sydd yn y gerdd at farwolaeth ddisymwth Johny Miss, pan syrthiodd oddi ar ei feic ar yr hen ffordd rhwng Tal-y-sarn a Nantlle. Y noson honno, yr oedd y band i orymdeithio o Nantlle i Dal-y-sarn, ac yn ei frys i gyrraedd Nantlle mewn pryd (ef oedd yr arweinydd), syrthiodd ac anafu ei ben yn ddifrifol, a bu farw.

Fab antur, gostyngwyd ei nerth ar y ffordd,
Rhoes angau dychrynllyd ergyd â'i ordd.

Yr oeddwn yn adnabod Ben Jones a'i deulu yn dda iawn, oherwydd trigent yn rhif 9, Eivion Terrace (Bryn Eifion), a ninnau yn rhif 14. Yr oedd ei deulu i gyd yn gerddgar, ac yn aelodau o'r band, ar wahân i 'Wil Ben'. Ni chafodd ef gyfle i fod yn 'fandiwr', oherwydd cafodd ddamwain ddifrifol pan yn blentyn, syrthiodd oddi ar un o'r wagenni oedd yn cludo llechi o'r chwarel i'r stesion. Aeth y wagen eithriadol drom dros ei wyneb gan achosi nam difrifol i'w geg. Trodd yr hen

Wil at y 'cwrw melyn bach', ac yno y bu ar hyd ei oes. Yr oedd ei frodyr, Emlyn a Benjamin yn fandwyr ardderchog, fel y disgwyliech, ac yr oedd eu chwaer Gweni yn gerddores dda ac organyddes. Hi fyddai'n cyfeilio ar yr harmoniwm ar nos Sul, pan fyddai'r teulu yn morio'r hen emynau. Byddai cystadleuaeth rhwng y canu o rhif 9, Eivion Terrace a Huw Edwards a'i deulu yn morio canu emynau enwad y Bedyddwyr o rhif 16. Gweni ar yr organ o rhif 9, a Hugh Rees yn waldio'r piano yn rhif 16. Cymanfa dda ar nos Sul heulog yn yr haf. Yr oedd un mab arall yn nheulu Ben Jones, sef Tom Price. Yr oedd Tom druan yn dioddef o'r afiechyd creulon, sef Parkinson, ac ni allai wneud dim oherwydd y cryndod.

Ben Jones oedd arweinydd y band pan enillasant y wobr gyntaf yn Eisteddfod Genedlaethol Pwllheli yn 1925, a chyn derbyn yr arweinyddiaeth, yr oedd yn aelod o'r band ac yn benigamp gyda'r euphoniwm. Rwy'n cofio Ben Jones yn galw yn ein tŷ ni un noswaith hafaidd; yr oedd yn fyr iawn ei wynt, a phrin y gallai gerdded na siarad. Gofynnodd i mi fynd i siop Mrs Jôs, becar i brynu ychydig o 'dentiriwbob' (Tincture of Rhubarb) iddo. Ni fu byw yn hir ar ôl hynny. Bu farw yn 1935.

Yr oeddwn yn adnabod Alf Henderson yn dda iawn hefyd. Cyfeiriais ato yn yr ail bennod fel perchennog siop ddillad yn y pentref, lle saif y Swyddfa Bost heddiw, ac fel y cyfeiriais eisoes, byddai ei ferch Megan a minnau yn canu llawer o ddeuawdau gyda'n gilydd. Bu farw Megan yn ddiweddar. Yr oedd Alf yn feistr ar y cornet, ac yn aelod ffyddlon a brwdfrydig o'r band cyn ymadael i fand Prescot.

Yr oeddwn yn adnabod Morgan John yn dda iawn, er ei fod yn hen ŵr pan fyddwn yn cael sgwrs gydag ef, ac yn bur wael ei iechyd. Yr oedd ef yn berchennog siop drws nesa' i 'ciaffi', a gwerthai gylchgronau o bob math, sigarets, hufen iâ a newyddiaduron Cymraeg a Saesneg.

Yr unig estron ymhlith y rhestr uchod oedd Harry Heyes. Yr oedd ef yn gerddor proffesiynol o ganolbarth Lloegr ac yn arweinydd a cherddor penigamp. Cyfeiriais yn barod at Alf Henderson yn derbyn swydd gyda band enwog Prescot oherwydd ei ddawn fel chwaraewr y corned, ond yr oedd Morgan John hefyd yn un arall a aeth i Loegr fel bandiwr. Perfformiwr gwych ar y trombôn oedd Emlyn Jones (Emlyn trombôn), tad yr enwog Siân Emlyn, a'i brawd, Gwyndaf Emlyn, cerddor, canwr a chyfansoddwr ardderchog. Brodor o Ben-y-groes oedd Emlyn, ond gyda band Dyffryn Nantlle y daeth i amlygrwydd, a bu'n aelod ffyddlon o'r band am flynyddoedd. Ond ychydig cyn Nadolig 2007, derbyniais wybodaeth gan Mrs Gwyneth Griffith?, merch a anwyd ac a fagwyd yn Nhal-y-sarn a'i theulu yn deillio o 'Ffarm Tal-y-sarn' y cyfeiriais ati eisoes. Yr oedd ei mam, Nel, yn ferch i William Pritchard, ac yn chwaer i 'Wil Gord' a Dylan Pritchard. Erbyn hyn y mae Gwyneth wedi ymsefydlu yng Nghaernarfon. Dywedodd wrthyf bod yn ei meddiant drombôn a fu ar un amser yn eiddo ei thaid, tad ei thad, sef John Daniel Griffith. Brodor o'r Bala oedd John Daniel, a ddaeth i weithio yn Nhal-y-sarn fel cigydd. Ymunodd ef â band enwog y Royal Oakley. Enillodd y wobr gyntaf dair gwaith yn y Palas Grisial am chwarae'r trombôn. Ef oedd pencampwr Prydain, ac rwy'n siŵr y cytunech fod hyn yn dipyn o gamp i gigydd cyffredin o Dal-y-sarn.

Erbyn dechrau'r ganrif ddiwethaf, yr oedd Seindorf Dyffryn Nantlle yn enwog trwy Brydain, ac edrychwyd ar y pentref fel canolfan gerddorol un o fandiau pres gorau'r deyrnas. Brodor o Gernyw oedd Tom Sarah, mab Edwin a Julia Sarah. Ymsefydlodd yn y dyffryn i weithio yn y chwarel, ond yr oedd yn amlwg ei fod yn gerddor dawnus iawn, nid yn unig fel chwaraewr y corned, ond hefyd fel arweinydd. Ef oedd arweinydd y band yn negawd olaf y bedwaredd ganrif ar bymtheg, y cyfnod mwyaf llwyddiannus a llewyrchus yn ei hanes. Yr oedd ef wedi marw cyn fy ngeni i, ond byddai 'nhad a mam, ac eraill yn y gymuned, yn cyfeirio gydag edmygedd at Tom Sarah.

Priododd Tom ferch o Frynaerau o'r enw Sarah Jones, hithau yn berchennog llais cyfoethog ac yn gerddores ddawnus. Nid wyf yn sicr a oedd yn aelod o'r enwog Tal-y-sarn Glee Singers, ond ymddengys ei bod yn gyfaill mynwesol i Mary Owen (Mair Alaw). Yr oedd tad Sarah yn gerddor dawnus hefyd ac yn arweinydd Côr yr Eglwys, yn Llandwrog. Pan briodwyd Tom a Sarah, cafodd enw priodasol unigryw iawn, sef Sarah Sarah. Ganwyd pump o blant iddynt, ond heb ddim os, yr enwocaf o'r pump oedd Mary King Sarah (1884-1965). Rhan o enw cefnder i'w thad oedd 'King', a mabwysiadwyd yr enw 'King' gan deulu Tal-y-sarn rhag achosi unrhyw anghydfod rhwng teulu Tal-y-sarn a'u teulu yng Nghernyw.

Mary King Sarah oedd arwres Dyffryn Nantlle yn ddi-os ar ddechrau'r ganrif olaf, ac yn ystod fy mhlentyndod, byddai ei henw i'w glywed ar wefusau y pentrefwyr pan fyddai pobl yn trafod cerddoriaeth – a byddai hynny'n aml. Lawer gwaith, clywais y dywediad: 'Bobol bach, dydy hi ddim yn yr un cae â Mary King.'

Erbyn heddiw, ychydig iawn o wybodaeth sydd ar gael amdani, ar wahân i un llyfr a gyhoeddwyd gan Americanes o'r enw Susan Morse, *Mary King Sarah: The Welsh Nightingale.* Ceisiais ddarganfod mwy o'i hanes trwy ysgrifennu at ei merch, Mrs Evelyn Devine, sy'n trigo ar hyn o bryd yn Phoenix, Arizona (cyn belled ag y gwn i). Ni allai hithau ychwanegu dim at yr hyn a wyddwn yn barod am y gantores, ond meddai yn ei llythyr:

> *. . . I know she loved Nantlle Valley. I recall her talking about it a lot during my own childhood. Those were the great depression days (in America), and entertainment could not be*

paid for, so 'Mum' would amuse us with stories of Tal-y-sarn and Nantlle Valley. At night, we would sit around our kitchen table and drink tea, and listen to stories about her life in her beloved North Wales.

Rwyf yn ddiolchgar iawn i'r ddiweddar Annie Laura, o fferm Coedmadog gynt, pianydd a chyfeilyddes ardderchog o Dal-y-sarn, am roddi'r cyfle i mi gysylltu â merched Mary King Sarah. Roedd Annie Laura yn athrawes piano ardderchog hefyd.

I ddychwelyd at Mary King Sarah, Annibynwyr oeddent fel teulu, ac yn aelodau selog yng Nghapel Seion, Tal-y-sarn, lle'r oedd ei brawd, William, yn arweinydd y gân. Apwyntiwyd Mary King i gynorthwyo ei brawd i godi canu, a chymerai ran amlwg yn y gwasanaethau fel unawdydd. Cyfrannai Mary King yn hael i fywyd cerddorol ei chymdeithas.

Yr oedd yn ddisgybl yn Ysgol y Cyngor Tal-y-sarn, ac yna yn Ysgol Ramadeg Pen-y-groes. Ar ei hymweliad olaf â'r wlad hon ym mhum degau'r ganrif olaf, rhoddodd ddarlun ohoni'i hun i'r archifdy yng Nghaernarfon. Oni ddylai darlun o'r fath ymddangos ar fur ei hen ysgol i atgoffa'r plant o fawredd y gorffennol, a'n hetifeddiaeth gerddorol? Y mae ei hanes i'w gael yn y llyfr gan Morse, yn ogystal ag adroddiad o'i gyrfa lwyddiannus ar lwyfannau Prydain. Enw Susan Morse sydd ar y llyfr *Mary King Sarah . . .* ond yn ôl Mrs Devine, ei merch, Mary King ei hun a ysgrifennodd y llyfr, ond ei bod yn rhy ddiymhongar a swil i ddweud hynny.

Mae'n rhaid i mi gyfeirio at un digwyddiad arbennig iawn yn ei gyrfa gerddorol, sef ei gorchestion yn Eisteddfod Genedlaethol Caernarfon yn 1906. Enillodd dair gwobr yn yr Eisteddfod honno, a chyn belled ag y gwn i, dyma'r unig dro i'r orchest honno gael ei chyflawni gan ferch. Enillodd unawd Soprano, *'Save me o God'*, gan Randegger (65 yn cystadlu). Mae'n ddiddorol sylwi mai'r ail orau yn y gystadleuaeth honno oedd bachgen bach o'r de, David Ifor Davies (Ivor Novello). Derbyniodd y bachgen wobr arbennig gan Esgob Bangor. Ail fuddugoliaeth Mary King oedd cystadleuaeth y Mezzo-soprano, gyda'r gân 'Ave Maria', a'r drydedd oedd deuawd i soprano a thenor. Y tenor oedd Ifan Lewis, Capel Curig.

Rhoddodd ei gwasanaeth yn rhad ac am ddim mewn cyngherddau elusennol, ac nid anghofiodd ei gwreiddiau a'i dyled i'w chymdeithas pan gyrhaeddodd y brig yn ei dewis broffesiwn. Yn 1909, derbyniodd wahoddiad i ganu mewn nifer o gyngherddau yn America fel unawdydd gyda Chôr Meibion y Moelwyn. Cyn iddi ymadael o'i chynefin, trefnwyd dau gyngerdd i ddathlu'r achlysur trist yn Nhal-y-sarn ac ym Mhen-y-groes. Penderfynodd trigolion Dyffryn Nantlle ddangos eu gwerthfawrogiad o'i chyfraniad cerddorol sylweddol i'r dyffryn trwy ei anrhegu â wats aur, sydd heddiw yn ôl Mrs Devine, ym meddiant yr enwog Cefin Roberts:

> *I wanted the gold watch and chain which the people of Dyffryn Nantlle had given her when she left, and which she had given to me, to go to someone in her family who had true musical talent, so I gave it to Cefin Roberts, who was at that time, a charming nine year old boy sporano with a glorious voice and a distant relative of my mother. I wept when he sang for me several beautiful Welsh songs that I had heard my mother sing so many times.*

Mae Cefin, fel y gwyddoch, yn sicr wedi parhau y traddodiad cerddorol a berthynai i Mary King Sarah a'i theulu.

Ar ei hymadawiad, ysgrifennodd Griffith Francis benillion addas iawn i gofio'r achlysur (*Telyn Eryri,* t.60). Dyma ddau bennill o'r gerdd:

Mary King

Beth ddaeth dros dy galon Mary?
Mary, beth sy'n codi i'th ben?
Wyt ti wedi blino canu
Ar lwyfannau Cymru Wen?
Pam yr ei o Ddyffryn Nantlle
I'r Amerig gyda'r Côr?
Wyt ti'n meddwl gwneud dy gartre'
Yn y wlad tu hwnt i'r môr?

Maddau im am ofyn cwestiwn
Efo'r tannau ar 'Lwyn Onn',
Nid wyf fi ond carreg ateb
I galonnau'r dyrfa hon;
Pan hed brân a'i chrawc o'r dalaith
Caiff brain eraill lai o gam;
Pan hed eos annwyl ymaith
Fe fydd pawb yn gofyn pam . . .

Y mae'r pennill cyntaf yn broffwydol, oherwydd ni ddychwelodd Mary King Sarah yn ôl i'w chynefin am hanner can mlynedd.

Yn ystod fy nghyfnod i yn y pentref yn y tri degau, roedd y bwrlwm cerddorol mor fyw ag erioed. Byddwn yn perfformio ac yn cystadlu ar lwyfannau lleol o tua 1927 hyd 1938, ac yn y flwyddyn dyngedfennol honno, dechreuodd y llais soprano ddirywio yn drybeilig, gan swnio yn debycach i 'iodlwr' o'r Swisdir na soprano swynol. Roedd y llais rhyfedd hwn yn feistr corn arnaf, yn arbennig pan amrywiai rhwng soprano a bas yn hollol ddirybudd.

Ychydig iawn o gerddoriaeth a glywem yn y 'Council School', mewn gwirionedd ni chlywem ganu o gwbl, ar wahân i Ddydd Gŵyl Dewi, pan gynhelid cyngerdd digynllun yn y bore, cyn cael pnawn rhydd. Ond yr oedd y capeli yn brysur iawn gyda'u 'Band of Hope', eu Cymanfaoedd Canu, eu dosbarthiadau Tonic Sol-ffa a'r Eisteddfod flynyddol. Y capeli a oedd yn gyfrifol am y brwdfrydedd cerddorol hwn yn Nhal-y-sarn. Byddai cystadlu am ddwy geiniog yn y 'Band of Hope' yn ein paratoi a'n darparu ar gyfer llwyfannau ehangach.

Rwy'n cofio cystadlu yng Nghapel y Methodistiaid yn Llanllyfni, dan chwech oed. Cerdded yr holl ffordd yn llaw fy mam, tua thair milltir o ffordd, a chystadlu ar y gân: 'B'le'r ei di. B'le'r ei di yr hen dderyn bach', ac ennill – yn gydradd gyntaf gydag un ar bymtheg o gywion cyffelyb i mi. Derbyniais rodd anrhydeddus o dair ceiniog, a rhuban glas. Cadwodd mam y tair ceiniog, ond nid oedd neb am fy ngwahanu oddi wrth y rhuban glas.

Byddai Gweni Roberts (merch Mrs Robaitch Nantlle), yn treulio oriau yn darparu grŵp ohonom i gystadlu ar ganu penillion yn Eisteddfod yr Urdd, gyda pheth llwyddiant, a chefais y fraint o ymddangos ar lwyfan anferth Eisteddfod yr Urdd ym Machynlleth a Chaernarfon. Yn ogystal â'r cystadlu, byddwn yn canu deuawd pan oeddwn tua phedair neu bump oed gyda merch fach o'r enw Jini Wrench. Nid oeddwn yn rhy hoff ohoni hi, gan ei bod yn berchennog llais llawer gwell na mi, ac os byddai hi'n cystadlu, yna yr oedd ar ben arnom ni'r plebs. Ymfudodd Jini a'i theulu i'r Unol Daleithiau yn fuan iawn. Byddwn yn canu deuawdau gyda Jini, ac, i mi, yr oedd hynny'n llawer haws na chystadlu yn ei herbyn.

Roedd gan Richard Parry ei gôr cymysg, a gystadleuai mewn eisteddfodau lleol. Roedd ef yn 'stiward bach' yn chwarel Dorothea, ac felly yn ddyn pwysig. Cyfeiriai pawb ato fel Dic Parry, Idwal Villa, neu Dic Parry Bach, oherwydd ei daldra. Roedd yn godwr canu yng Nghapel Mawr Tal-y-sarn, swydd a berchid gan bawb. Pan oeddwn yn fychan iawn, byddwn yn mynd gyda mam i'r Assembly Rooms i wrando ar y Côr yn ymarfer ar gyfer rhyw eisteddfod neu'i gilydd. Y gwaith a ddewisent bob amser oedd yr anthem 'Teyrnasoedd y Ddaear', a byddwn wrth fy modd yn gwrando ar y lleisiau cyfoethog yn gwneud cyfiawnder â 'Haleliwia Corws' y Cymry, a 'nhad yng nghanol y baswriaid yn morio canu. Dyna pryd y clywais yr anthem fawreddog hon am y tro cyntaf, ac nid anghofiaf byth y wefr a gefais pan oeddwn tua phump oed. Erys y wefr honno gyda mi hyd heddiw.

Cefais y fraint o arwain Cymanfa Ganu Eisteddfod Genedlaethol Bangor yn 1971, ac o barch i gantorion Côr Dic Parry bach, gofynnais i'r gynulleidfa ymuno â Chôr yr Eisteddfod i ganu'r anthem, a gwnaethant hynny gydag arddeliad.

Roedd gan Edwin Thomas gôr cymysg yng Nghapel Seion yr Annibynwyr. Roedd ef yn byw yn 10 Eivion Terrace a ninnau'n 14. Cofiwch, nid corau oedd y rhain a gyfarfyddai'n rheolaidd, ond yn hytrach, corau oeddent a ymarferai ar gyfer cystadleuaeth arbennig mewn canolfan neu gapel lleol. Yn ystod y darpariadau, nid oedd llawer o gariad yn bodoli rhwng yr aelodau, a llawer o gecru llym rhyngddynt nes byddai'r gystadleuaeth drosodd. Yr wyf yn cofio côr Edwin yn ennill un tro, ac yn ogystal â swm bach o arian, derbyniodd yr arweinydd 'baton' fel arwydd o'i ddawn fel arweinydd. Gosodwyd y 'baton' hwnnw mewn lle amlwg ar silff yn y parlwr.

Roedd gan yr eglwys ei chôr hefyd, fel y capeli, ond ni pharhaodd hwnnw yn hir iawn. Roedd atgasedd y capeli tuag at yr Eglwys yng Nghymru mor fyw ag erioed, ac yn anffodus, ni allai'r eglwys druan gasglu digon o aelodau i ffurfio côr. Ni chlywais chwaith am gôr cystadleuol yng nghapel y Bedyddwyr, ond byddai'r capel hwnnw yn cynnal cyngerdd mawreddog bob nos Galan. Yno y clywais yr anfarwol Nansi Richards* a Pharti Eryri yn rhoi boddhad i gapel gorlawn, ac Edith a'i sgets 'Y Tramp' yn tynnu'r lle i lawr. Roedd Nansi yn 'drwbadŵr' gyda'r gorau, ac mewn cyfnod pan oedd y piano yn rhagori ar bob offeryn arall, crwydrai hi Gymru benbaladr gyda'i thelyn. Hi, yn anad neb, a ddeffrodd ddiddordeb unwaith eto yn ein hofferyn cenedlaethol. Hi oedd un o athrawon cyntaf yr enwog Osian Ellis, ac erbyn heddiw, y mae nifer fawr o ysgolion cynradd ac uwchradd yn rhoddi cyfle i nifer fawr o ddisgyblion i ddysgu chwarae'r delyn, ac y mae nifer helaeth o delynorion bellach yn ymddangos ar ein llwyfannau a'r cyfryngau. Nid offeryn eilradd yw'r delyn mwyach.

Ar lwyfan Cyngerdd Blynyddol Capel Salem y Bedyddwyr y gwelais ŵr am y tro cyntaf erioed gyda ffidil. Yn anffodus, ei weld yn unig a wneuthum, oherwydd pan dynnodd y bwa dros y llinynnau, torrodd pob un ohonynt, ac ni chlywais ond rhyw sgrech fach dila. Siomedigaeth fawr i mi oedd y digwyddiad, oherwydd yr oeddwn wedi bod yn edrych ymlaen ers diwrnodau at berfformiad y dyn a'i ffidil.

O! dyddiau difyr. Dyddiau difyr iawn oedd y rheiny, pan gaem foddhad anghymharol yn canu, canu, canu – ac yr wyf yn dal i ganu yn ddistaw bach yn y bath.

* *Cefais y fraint o ymddangos droeon gyda Nansi yn narllediadau'r Noson Lawen yn Neuadd y Penrhyn. Hi hefyd oedd ein telynores yn y ffilm 'Noson Lawen' (1949), a hi oedd yn cyfeilio i Sassie Rees, T. Gwynn Jones a minnau ar lwyfan Eisteddfod Genedlaethol Glyn Ebwy.*

Beirdd a llenorion

Cyfeiriais yn barod at Hywel Cefni Jones a gadwai siop ddillad yn y pentref. Roedd ef yn fardd gwlad hunan ddysgedig yng ngwir ystyr y gair. Bardd arall o'r un cyfnod oedd Owen Edwards (Anant), bardd gwlad eto a drwythodd ei hunan yn y mesurau caeth, ac a gydnabyddid yn un o'r goreuon.

Ychydig flynyddoedd yn ôl, roeddwn yn arwain Cymanfa Ganu yn eglwys Llandinorwig, i lansio llyfr gan y Canon Idris Thomas, Clynnog, yn yr eglwys lle'i magwyd. Wrth ddrws deheuol yr eglwys gwelais gadair eisteddfodol a enillwyd yn Eisteddfod Deiniolen gan Anant, a sylweddolais mai hwn oedd y bardd a fu'n athro barddol i R. Williams Parry ifanc yn Nhal-y-sarn. Cyfeirir ato gan y bardd yn ei gydnabyddiaeth ar ddechrau'r gyfrol *Yr Haf a Cherddi Eraill* (t. 6).

Mewn llythyr ym meddiant yr awdur Dewi Jones, Pen-y-groes, a ysgrifennwyd gan Mair Parry, Gorwel, Llanllyfni, gwelwn mai yn 'Odyn' Garndolbenmaen y ganwyd Anant. Derbyniodd addysg elfennol yn ysgol y pentref hwnnw, gan yr athro, Owen Griffith (athro i nifer o gapteiniaid llongau y pryd hynny). Ar ôl gadael yr ysgol, aeth i weithio i chwarel Hendre Ddu, Cwm Pennant, ac oddi yno i Nant Nantlle. Meddai:

Bûm am dymor maith yn Hendre Ddu,
Yn gweithio'n gyson gyda'r llu;
Eis oddi yno i Dal-y-sarn,
A dod bob wythnos tua'r Garn.

Sylwch ar y llinell olaf. Cyfeiriad sydd yna at y drefn arferol o aros yn y 'barics' yn y chwarel drwy'r wythnos, ac yna cerdded adref i'r Garn bob nos Wener, a dychwelyd i Dal-y-sarn bore Llun.

Nid wyf yn sicr a oedd yn grefftwr ai peidio – hynny yw, wedi'i brentisio i adnabod a thrin craig, neu sut i droi'r graig yn llechi o faint arbennig yn y sied. Ond tu ôl i dŷ fy nain, yn 2 Eivion Terrace, roedd tomen anferth o rwbel llechi, a byddai'r hen wraig yn dweud wrthyf am ryw ŵr enwog a weithiai ar frig y domen yn tipio'r rwbel o'r wagen i lawr y domen. Anant oedd y gŵr hwnnw, ac y mae englyn gwych o'i eiddo ar gael a awgryma mai chwarelwr cyffredin ydoedd. Dyma'r englyn a ysgrifennodd ar lechen las, a'i hanfon yn ôl i'r twll ar y wagen i'r gweithwyr yn y twll.

Os gellwch, gyrrwch garreg – rhyw damaid
O'r domen yn anrheg:
Gwn y daw, rwy'n begio'n deg,
Waredwr dyma'r adeg.

Englyn gofyn yw hwn wrth gwrs, gan ŵr a enillai arian prin iawn, ac yn erfyn am ddarn bach o lechfaen i'w throi yn llechi mesuradwy i ychwanegu at ei gyflog prin. Cydnabyddid ef yn fardd dawnus a oedd yn feistr ar gerdd dafod, a galwyd arno yn fynych i feirniadu mewn eisteddfodau lleol.

Cofier er hynny mai dau fardd hunan ddysgedig oedd Hywel Cefni ac Anant, a bod beirdd eraill yn y pentref gystal beirdd â hwythau unrhyw ddydd. Ond cyfeiriais yn arbennig at y ddau uchod oherwydd eu cysylltiad ag R. Williams Parry.

Ond daeth tro ar fyd pan agorwyd Ysgol Sir yng Nghaernarfon yn 1889, ac ym Mhen-y-groes yn 1898. Daeth addysg uwch i'r dyffryn nid ar gyfer y breintiedig yn unig, ond ar gyfer meibion a merched chwarelwyr tlawd a oedd yn barod i aberthu eu ychydig eiddo i sicrhau addysg i'w plant. Rhoddai'r Ysgol Sir gyfle arbennig i blant cyffredin i ymaelodi fel myfyrwyr mewn Prifysgol yng Nghymru, ac astudio ar gyfer y proffesiynau na freuddwydiasai eu rhieni erioed amdanynt. Roedd gweinidog neu athro ysgol gyda BA ar ôl ei enw yn derbyn parch haeddiannol eu cymuned er mai plant chwarelwyr oeddynt.

Dyma fu hanes R. Williams Parry. Aeth i'r ysgol yng Nghaernarfon cyn mynd i'r coleg cymharol newydd yn Aberystwyth, lle daeth dan ddylanwad rhai o athrawon gorau Cymru. Dyma lle gwrandawodd Williams Parry ar ' . . . fy meistr llenyddol, T. Gwynn Jones', a thair blynedd yn ddiweddarach, Syr John Morris Jones, pan oedd yn fyfyriwr yng ngholeg Bangor. Dylanwadau'r ysgolheigion mawr hyn a fu'n gyfrifol am droi bardd gwlad cyffredin yn fardd mawr. Ac nid ef oedd yr unig un yr ehangwyd ei feddwl yn yr un modd; dyma fu hanes ei gefnder Syr T. H. Parry-Williams a Syr Thomas Parry ac eraill.

Nid yw gofod yn caniatáu imi fanylu am R. Williams Parry o Dal-y-sarn, oherwydd y mae digonedd o lyfrau ar gael sy'n trafod ei gynhyrchion barddonol, yn arbennig wedi iddo ennill y gadair yn Eisteddfod Genedlaethol Bae Colwyn yn 1910 am ei awdl 'Yr Haf'. Waeth pa farn feirniadol sydd gan rai beirniaid, yr oedd ac y mae barddoniaeth gaeth a rhydd y bardd hwn yn dal yn ddylanwadol iawn.

Pan oeddwn i yn ddisgybl yn Ysgol Sir Pen-y-groes yn y tri degau, byddem fel dosbarth yn edrych ymlaen at ein gwers Gymraeg gyda Miss P.K. Owen. Roedd hi yn athrawes ddawnus iawn. Cymry Cymraeg oedd y mwyafrif o athrawon yr ysgol, ond yn Saesneg y cyflwynwyd pob gwers – ar wahân i'r wers Gymraeg. Y gyfrol a ddefnyddiem ar y pryd oedd *Y Flodeugerdd Gymraeg* gan W.J. Gruffydd.

Pwysleisiai P.K. fawredd R. Williams Parry, ac ymfalchïem ninnau'r plant, yn arbennig plant Tal-y-sarn. Rwy'n ei chofio yn darllen y soned, 'Y Llwynog', yn ei dull dihafal ei hun, ac i gwblhau'r darlun fel petae, dywedai wrthym am edrych allan drwy'r ffenestr ac edrych i gyfeiriad mynydd Cwm Dulyn (Y Graig Goch), lle daeth y bardd wyneb yn wyneb â'r llwynog hwnnw, rhyw 'ganllath o gopa'r mynydd'.

Byddem yn gwirioni pan fyddai'n darllen 'Y Ddôl a Aeth o'r Golwg', sef Dôl Pebin y Mabinogi, yr oeddem mor gyfarwydd â hi. Byddai P.K. yn adrodd hanesion inni o'r bedwaredd gainc, gydag enwau yr oeddem ni yn gyfarwydd iawn â nhw, sef Nantlle; Dôl Pebin, Dinas Dinlle, Bryn Gwydion ac eraill. Onid oeddem yn adnabod y ffarmwr Mr Ellis a alwai acw bob dydd gyda llefrith inni yn ei fan? Roedd y ddeialog: 'Dyffryn Nantlle Ddoe a Heddiw' yn ddealladwy i ni a 'Y Ddôl a Aeth o'r Golwg', oherwydd yr oeddent yn creu darlun i ni o'r newidiadau a gymerasai le dros y canrifoedd yn y dyffryn. Byddai P.K. yn egluro i ni beth oedd soned Shakespearaidd fel 'Mae Hiraeth yn y Môr', gyda'i deg sillaf ym mhob llinell, a phedair llinell ar ddeg wedi'u rhannu yn dri phedwarawd ac yn gorffen gyda chwpled trawiadol a chrynhoad o gynnwys y tri phennill, sef 'Mwynder', 'Tristwch' a 'Phellter'. Nid oedd dadansoddiad fel yr uchod mor bwysig i ni â'r darlun geiriol, cyfarwydd. Er enghraifft yr oedd pob un ohonom wedi cael profiad o hiraeth ryw dro, er na allem ei ddehongli na'i egluro; gwyddem fel y gallai tonnau'r môr yn Ninas Dinlle, stormus neu dyner, achosi teimlad annealladwy o hiraeth. Gallai tawelwch ac awyrgylch y mynydd greu yr un argraff, ac yn arbennig i mi, tristwch y gwynt yn yr hesg yn y 'Mwd'.

Y 'Mwd' oedd gweddillion yr hen lyn isaf ar ôl cael gwared â'r dŵr yn dilyn trychineb 1884, ac fel y crybwyllais uchod, dim ond mwd, tir soeglyd a hesg tal a oedd ar ôl, ac aceri o frwyn. Byddem yn chwarae cowbois ac indians yn y Mwd, gan guddio yn yr hesg a'r brwyn, a thra byddwn yn cuddio ynddynt yn hollol ddistaw, clywn y gwynt yn sibrwd yn gwynfanus drwyddynt. Mae'r sŵn arallfydol hwnnw yn aros yn fy nghof hyd heddiw. Hiraeth arallfydol eto, ond nid o angenrheidrwydd hiraeth trist.

A thristaf yn yr hesg y cwynai'r gwynt . . .

Yr oedd y chwe llinell olaf yn dra chyfarwydd i mi hefyd:

Fel pan wrandawer yn y cyfddydd hir
Ar gân y ceiliog yn y glwyd gerllaw
Yn deffro caniad ar ôl caniad clir
O'r gerddi agos, nes o'r pellter draw
Y cwyd un olaf ei leferydd ef
A mwynder trist y pellter yn ei lef.

Teimlwn bod rhyw empathi rhyngof i a'r bardd yn y llinellau hyn, ac roeddwn yn sicr bod Williams Parry, pan yn blentyn, wedi cael yr un profiad â minnau pan fyddai'n gorwedd yn ei wely ar doriad gwawr yn yr haf. Tu ôl i'n tŷ ni yr oedd cwt ieir Magi Alice a Dafydd Jow a'u tri phlentyn. (Maddeuer yr hyfdra, ond dyna'r unig ffordd y gallem eu hadnabod. Nid oedd Mr a Mrs Williams yn golygu dim heb yr ychwanegiadau.) Byddai ceiliog Magi yn ei morio hi ar doriad gwawr, a chan bod nifer dda o drigolion Eivion Terrace yn cadw ieir, byddai pob ceiliog yn ymateb i'r prif gantor. Yna byddai ceiliogod Brynderwen Terrace yn ymateb yn glochgar, ac felly ymlaen, nes o'r diwedd, byddwn yn clywed ceiliogod rhai o dyddynnod y llechwedd yn galw 'o'r llechwedd draw' a'r gân yn lleihau yn y pellter. Oeddwn, yr oeddwn yn adnabod ceiliog Williams Parry yn dda iawn.

Ni chefais y fraint na'r pleser o gyfarfod y bardd erioed, gadawsai Goleg Bangor flwyddyn cyn i mi gyrraedd ar ôl y Rhyfel. Yr oedd Merêd a Robin yn ei adnabod yn bur dda, ac yn ei barchu, a byddent yn mwynhau gwrando ar ei ddarlithiau – y mwyafrif ohonynt beth bynnag. Byddent bob amser yn cyfeirio at ei addfwynder a'i gyfeillgarwch, wedi'r cyfan chwarelwr fuasai tad Merêd a saer coed oedd tad Robin, a mab i chwarelwr oedd y bardd a'r darlithydd.

Un arall o wŷr mawr ac enwog Tal-y-sarn oedd Gwilym Richard Jones (Gwilym R. – 1903-1993). Bardd, llenor a newyddiadurwr. Nid oes angen i mi fanylu ar gynnyrch barddonol a rhyddieithol Gwilym R., oherwydd y mae hyn wedi ei wneud eisoes mewn erthyglau a chofiannau. Gwelwn restr o'i gyhoeddiadau yn *Cydymaith i Lenyddiaeth Cymru,* t. 313-4, a ddengys ei gyfraniad aruthrol i lenyddiaeth Gymraeg. Ond un o'n bechgyn ni oedd o, ac fe hoffwn adrodd ychydig o'i hanes yn Nhal-y-sarn. Mae Tal-y-sarn wedi newid cryn dipyn ers dyddiau plentyndod Gwilym R. yn y pentref, a'm dyddiau cynnar innau o ran hynny.

Rhyw flwyddyn yn ôl, cerddais o Rhiwafon, cartref R. Williams Parry i gyfeiriad Penyryrfa, ym mhen pellaf pentref Tal-y-sarn i ffotograffio yr adeiladau hynny a oedd yn rhan o'm plentyndod, yn arbennig y siopau a'r capeli. Nid oedd un siop ar ôl, dim un, ac ar wahân i Gapel Seion yr Annibynwyr, nid oedd un capel ar ôl chwaith. Dim ond dau adeilad oedd yn aros, sef y 'cwt band' a'r ysgol gynradd. Ar fy ffordd i'r hen swyddfa bost a ddinistriwyd gan dân ychydig flynyddoedd yn ôl, ac a safai ar waelod allt stryd Bryn Hyfryd, gwelais nad oedd siop Cloth Hall yn bod mwyach, a bod Saeson uniaith yn byw lle magwyd Gwilym R. a'i frawd Dic (Richard Hugh Jones). Brodor o Rostryfan oedd John Jones y tad, a'r fam, Ann Jones yn wreiddiol o Aberdaron.

Siop oedd Cloth Hall bryd hynny a werthai lyfrau o bob math. Os oedd ychydig lyfrau Cymraeg ar gael, gallech bob amser bwrcasu copi yn y Cloth Hall. Ond byddent hefyd yn gwerthu llyfrau a chylchgronau Seisnig, yn arbennig i blant. Yno y byddwn yn prynu fy nghopi o *Wizard* a *Hotspur*. Yr oedd hon yn siop a ddenai blant y pentref i lygadrythu ar y gwahanol beli a welem yn y ffenestr, ond yn anffodus nid oedd arian parod ar gael i brynu ffasiwn foethusrwydd.

Pan agorech ddrws y siop, byddai cloch dreiddgar uwchben y drws yn galw ar Mrs Jones i ddod i'r siop ar unwaith. Hi oedd yn gyfrifol am y siop a'i chynnwys, tra oedd ei gŵr yn gweithio yn un o'r chwareli cyfagos. Pan gerddech i mewn i'r siop, yr oeddech yn ymwybodol o arogl arbennig, gwahanol i bob siop arall. Nid bwydydd oedd yma, na chig ffres, ond papurau o bob math; papurau i'w darllen; papurau a llyfrau i ysgrifennu arnynt, a gwahanol fathau o inc coch, glas, du a gwyrdd; rwberau a 'phenholders' a nibiau ar eu cyfer (flynyddoedd lawer cyn dyfodiad y 'biro'). Dyma'r cymysgedd oedd yn cynhyrchu'r arogl arbennig, ac nid oedd yn annymunol o bell ffordd. Roedd yma bapurau Cymraeg: *Y Genedl, Papur Pawb, Y Faner,* ac yr oedd y *Daily Herald* ar gael hefyd, a hyd yn oed *News of the World* ar ddydd Sul. Byddai'r mwyafrif o flaenoriaid y capeli yn cael copi o'r *News of the World* trwy garedigrwydd cymydog, oherwydd ni feiddiai blaenor ddarllen papur ar y Sul, yn arbennig *News of the World.*

Dyma lle prynais fy nghopi cyntaf o *Llyfr Mawr y Plant,* clasur Jennie Thomas a G.O. Williams, gydag ychydig gymorth gan John Glyn Davies. Yn 1931 y prynais y llyfr, pan oeddwn yn wyth oed. Tri swllt a chwe cheiniog oedd y pris. Roedd yn arian mawr y pryd hynny yn arbennig i grwtyn, ond trwy negesa i gymdogion a charedigrwydd teulu, ac ennill yn y Band of Hope a'r Gymanfa, llwyddais i gasglu'r swm angenrheidiol. Darllenais ef drosodd a throsodd am flynyddoedd, a mwynheais gwmni Siôn Blewyn Coch a Siân Slei Bach a Wil Cwac Cwac ac eraill. Nid yw'n rhyfedd bod y llyfr yn parhau i roi boddhad i'r ifanc heddiw.

Dyma gartref a chefndir Gwilym Cloth Hall a Dic ei frawd. Dim ond enw oedd Gwilym i ni pan oeddem blant, oherwydd yr oedd ef yn gweithio oddi cartref fel newyddiadurwr gyda'r *Herald Cymraeg* yng Nghaernarfon, ac yna ym Môn, Lerpwl a Dinbych. Ond yr oedd pawb ohonom yn adnabod Dic Cloth Hall. Nid oedd neb yn y pentref mor fentrus a rhyfygus â Dic. Gweithio yn y chwarel yr oedd ef, fel peiriannydd a thrydanwr. Yr oedd yn berchen motobeic, a byddem wrth ein bodd yn ei wylio yn gyrru fel cath i gythraul ar hyd y ffordd newydd i gyfeiriad Nantlle. Gallai dynnu'r motobeic yn ddarnau gyda mwgwd ar ei lygaid, a byddem yn edrych yn gegrwth arno'n ail osod y peiriant wrth ei gilydd â'r mwgwd yn dal ar ei lygaid. Yr oedd ganddo yntau ddiddordeb yn y 'pethau' fel ei frawd, ac enillodd droeon mewn eisteddfodau leol am ysgrifau a straeon byrion. Dau frawd galluog oeddent yn sicr, ond gyda diddordebau hollol wahanol i'w gilydd.

Ond agorwyd ein llygaid ym mis Awst 1935. Aeth si drwy'r pentref bod Gwilym Cloth Hall wedi ennill y goron yn Eisteddfod Genedlaethol Caernarfon am ei bryddest, 'Ynys Enlli'. Y beirniad oedd Syr T.H. Parry Williams. Nid oedd gennyf syniad pa fath o farddoniaeth oedd pryddest, ond yr oedd yn amlwg i bawb ohonom bod ysgrifennu pryddest yn orchest arbennig iawn. Cynhyrfwyd y pentref pan glywsom fod y bardd buddugol yn bwriadu galw i weld ei dad a'i fam yn Cloth Hall gyda'r goron. Ac yn wir i chwi, teithiodd ar y trên o Gaernarfon i Ben-y-groes. Croesawyd ef gan dyrfa o bobl, gan gynnwys y Band a lori lo William Jôs Glo, a honno wedi'i sgrwbio'n lân, yn barod i'w gludo i bentref ei febyd, yn cael ei thynnu gan un o'r stalwyni anferth a dynnai wagenni llechi o'r chwareli i stesion Tal-y-sarn.

Roedd tyrfa yn disgwyl amdano tu allan i Cloth Hall fel y disgwyliech; nid bob dydd y byddai bardd coronog yn dod i'r pentref. Roeddwn i a'm ffrindiau wedi darganfod lle ffafriol ar wal y ffordd haearn ychydig droedfeddi uwchben y briffordd, a gwelsom a chlywsom bopeth oedd yn digwydd oddi tanom, ac yr oedd hwn yn brofiad newydd sbon i ni. Gwelais y goron ar ben y bardd, a chlywais ei ddiolchiadau i'r dyrfa am eu ffyddlondeb. Dyna'r tro cyntaf imi glywed llais Gwilym R., ond nid y tro olaf. Onid un o'n hogia ni oedd hwn? Dringodd dau neu dri o chwarelwyr cyffredin y pentref ar y lori, a darllen englyn a gyfansoddwyd ganddynt i longyfarch y bardd a'r achlysur. Nid wyf yn cofio pwy oedd y tri, ond yr oedd un ohonynt yn byw yn rhif 6 Eivion Terrace, sef John Charles Jones (Jac Charles i ni). Diwrnod bythgofiadwy oedd hwnnw wrth weld Gwilym Cloth Hall yn ei lawn ogoniant yn sefyll ar lori lo wrth ddrws ei hen gartref ynghanol cyfeilion ac edmygwyr.

Flynyddoedd yn ddiweddarach, ar ddechrau'r saith degau, cefais y fraint o'i gyfarfod wyneb yn wyneb. Gofynnwyd i mi gan y BBC gyfweld rhai o enwogion gogledd Cymru, ac yn eu plith yr oedd dau o Dal-y-sarn, sef Gwilym Cloth Hall a'r Parch. Idwal Jones (mab Dafydd Jôs 'Rhen Ffrind' y cyfeiriais ato uchod). Roedd Gwilym yn olygydd *Y Faner* ar y pryd yn Ninbych, yn cydweithio â brenhines y stori fer, sef Kate Roberts. Bwriad y BBC oedd cynnal y cyfweliad mewn mangre a oedd yn agos at galon y gŵr (neu'r wraig) enwog. Y fangre a ddewisodd Gwilym R. oedd Bryn Llidiart, cyn-gartref yr enwog Silyn Roberts, ac yn ddiweddarach, ei gefnder Mathonwy Hughes. Roedd mam Mathonwy a mam Gwilym R. yn ffrindiau, ac yn cyfarfod yn weddol reolaidd yn y Cloth Hall i drafod materion y dydd; y ddwy ohonynt yn wragedd deallus. Pan fyddai Gwilym a Dic yn eu harddegau, byddent yn mynd yn aml i Fryn Llidiart i gario gwair neu pan fyddent ar eu ffordd i lyn Cwm Silyn i chwarae. Dyna paham yr oedd y lle mor agos at ei galon.

Tir mynydd oedd o, gyda digon o le i rhyw un cae ar gyfer un fuwch a ieir, ac ychydig ddefaid yn pori'r manwellt ar y mynydd.

Oherwydd natur anturus a rhyfygus Dic, byddai ef yn mynd i nofio yn llyn Cwm Silyn, a gallaf eich sicrhau bod dŵr y llyn yn eithriadol oer, hyd yn oed yng nghanol haf. Ond dyna fo, Dic oedd Dic.

Roedd Gwilym R. yn ei saith degau pan gawsom y cyfweliad, ac nid oedd yn teimlo fel dringo'r Cynffyrch a cherdded y llechwedd i Fryn Llidiart, felly treuliais awr hynod ddifyr yn ei gwmni tra siaradai yn frwdfrydig a ffraeth a llawn hiwmor am ddyddiau ei ieuenctid yn ystod y Rhyfel Byd Cyntaf.

Yn ystod y cyfweliad, cyfeiriai at gymeriadau Tal-y-sarn pan oedd ef yn blentyn. Cofiai fy nhad yn cyrraedd adref ar *leave* o gwmpas 1916 yn ei lifrai morwrol. Cofiai Ifor Glyn, bachgen ifanc a ddibynnai yn gyfangwbl ar ei fam, a John Thomas a drigai drws nesaf i ni yn Eivion Terrace. Roedd John yn dioddef canlyniadau *shell shock* â'i ymennydd yn deilchion. Ar ddiwrnod chwilboeth yn yr haf, byddai John druan yn eistedd gyda'i gôt fawr amdano ar ben y goeden afalau yn yr ardd. Treuliodd oes mewn gwallgofdy yn Ninbych. Ond meddai Gwilym R.: 'Ni chlywais neb yn ystod y cyfnod yna, yn ei fychanu, na chwerthin am ei ben'. Nid oedd Gwasanaeth Iechyd bryd hynny. Un arall a gofiai yn dda oedd Johnny J.R. un arall o'r anffodusion a oedd yn hollol ddibynnol ar ei fam am bopeth. Roedd ei ben bob amser ar un ochr a diffyg ar ei leferydd. Byddai Johnny yn treulio oriau yn siop Dafydd Barbar wrth y stesion, lle byddai hwyl dibendraw bob amser. Roedd Johnny, er ei holl anfanteision, wedi dysgu chwarae'r organ geg – yn drybeilig o wael, ond nid oedd hynny o bwys. Roeddwn innau, pan oeddwn tua phump oed yn dipyn o gambliar ar yr offeryn hwnnw, a byddwn yn ennill dwy geiniog yn gyson yn y Band of Hope am fy medrusrwydd. Penderfynodd Dafydd Barbar a'i griw drefnu cystadleuaeth yn y Band of Hope yn festri Capel Mawr Tal-y-sarn, rhwng Johnny a minnau. Roedd yn rheidrwydd i Johnny ennill wrth gwrs, ac er nad oeddwn yn rhy hapus gyda'r trefniadau anghyfreithlon, rhoddwyd chwe cheiniog i mi am golli, ac yr oeddwn mor hapus â'r gog. Cyfeiriodd Wil John Ffred at y gystadleuaeth yn yr *Herald Cymraeg* gan frolio dawn Johnny i'r cymylau, ac yr oedd yntau mor hapus â'r gog hefyd, yn arbennig pan glywodd bod Wil John Fred (W.J. Davies) wedi cyfeirio at y fuddugoliaeth yn yr *Herald Cymraeg* yr wythnos ddilynol – neu felly y byddai cwsmeriaid Dafydd Barbar yn dweud.

Cyfeiriai Gwilym yn drist at gyfeillion fel Moi Rench a Gwilym Eryri Hughes. Ymfudodd Moi Rench i Ganada a bu farw Gwilym Eryri yn ŵr cymharol ifanc ar ddiwedd yr Ail Ryfel Byd. Roedd ef yn eisteddfodwr pybyr, gyda diddordeb arbennig yn y 'pethe'. Manylodd ar y dylanwad aruthrol gafodd un o athrawon 'Talysarn Council School' arno, sef David Thomas, taid yr enwog Angharad Thomas. Ymddengys ei fod ef yn athro ymhell o flaen ei amser, oherwydd byddai'n adrodd i'r plant rannau o gywyddau'r mawrion fel Dafydd ap Gwilym, Goronwy Owen a hyd yn oed rhai o gerddi caeth R. Williams Parry.

Roedd ganddo barch mawr hefyd i'r Parch. Robert Jones, gweinidog poblogaidd Capel Mawr, Tal-y-sarn. Pan fyddai dirwasgiad yn y chwareli, a llawer o'r chwarelwyr ifanc allan o waith, ac yn tueddu i fynychu'r tafarndai yn yr ardal, byddai Robert Jones yn gwneud ei orau glas i'w cadw ar y 'llwybr cul'. Yn ôl Gwilym R., yr oedd ef yn weinidog ymhell o flaen ei amser. Yn ei bregethau canolbwyntiai fwy ar broblemau cymdeithas yn hytrach na diwinyddiaeth. Gallaf ategu barn Gwilym R. oherwydd clywais Robert Jones droeon yn beirniadu culni moesol rhai o'i flaenoriaid a'i wrandawyr, a gwnâi hyn yn gyhoeddus o'r pulpud, yn aml gyda charchar defaid yn hongian allan o'i boced. Roedd ef yn hoff iawn o'i ddefaid gwlanog yn ogystal â'r praidd dynol. Cefais innau'r fraint 'o eistedd wrth draed' y Gamaliel hwn.

Byddai Gwilym R. a Dic ei frawd yn sefyll wrth 'giât' chwarel Dorothea ar nos Wener – noson tâl, i werthu copïau o'r *Genedl Gymraeg, Papur Pawb* a'r *Herald Cymraeg* i'r gweithwyr darllengar, ac ar ôl gorffen yn fan honno, byddent yn mynd i ddrws cefn y Nantlle Vale Hotel i wneud yr un gwaith; wedi'r cyfan, dyma oedd bywoliaeth eu rhieni. Byddai'n galw yn y Cwt Du yn y stesion, ac ambell waith yn meiddio cymryd rhan yn y trafodaethau diwinyddol a gymerai le yno, ond ni fyddai'n cael llawer o groeso yno. 'Yli di llanc,' meddai Huw Ifans Gwernor wrtho, 'mi wrandawa i arnat ti wedi i ti lychu dy draed yn y Petha'.

Byddai Dic Bach Penllyn (un o fechgyn Ysgol Bach Cefn Siop), a phawb arall o ran hynny, yn cyfeirio at y Cwt Du fel y Cwt Chwain, ac nid gormodiaeth oedd hyn. Oherwydd y cynhesrwydd yn y cwt, a nifer o ddynion yn cyfarfod yno'n rheolaidd i sychu eu dillad, nid oedd lle gwell i fagu chwain yn unman, a byddai mamau yn rhybuddio'u plant 'rhag mynd yn agos at y Cwt Chwain 'na'.

Un o wŷr mawr Tal-y-sarn oedd Gwilym R. yn ddi-os, a Chymru o ran hynny. Roedd yn fardd ardderchog yn y mesurau caeth a rhydd, ac fel y gwyddoch rwy'n siŵr, enillodd y Fedal Ryddiaith yn Eisteddfod Genedlaethol 1941, a'r gadair yn Eisteddfod Genedlaethol Caerdydd yn 1938 gyda'i awdl, 'Rwy'n Edrych Dros y Bryniau Pell'.

Dyn dieithr oedd y Parch. Idwal Jones i ni'r plant, ond rwy'n cofio un achlysur pan ddaethom wyneb yn wyneb â'r gŵr ifanc o Cavour St. Roedd hyn cyn iddo gael ei ordeinio. Stiwdant ym Mangor oedd o ar y pryd, ac adref ar ei wyliau haf. Roedd yn fore hyfryd pan welsom y gŵr ifanc; yr oedd rhyw hanner dwsin ohonom wedi mynd i ymdrochi yn afon Llyfni – rhyw wyth neu naw oed oeddem ar y pryd. Byddem bob amser yn ymdrochi yn ein siwt enedigol, yn noethlymun. Tra'r oeddem ni yn dynwared *Tarzan of the Apes* ynghanol crocodiliau dychmygol yr afon, daeth rhyw ŵr dieithr i sefyll ar y dorlan, a gofyn inni sefyll yn llonydd tra bydda ef yn tynnu ein lluniau. Nid wyf yn meddwl bod neb ohonom wedi gweld camera o'r blaen, ar roeddem yn fwy na pharod i dderbyn ei wahoddiad, gan sicrhau yr un pryd bod dŵr yr afon dros ein canol. Roedd y gŵr ifanc yn smart, gyda chôt a wnâi i ni feddwl am Joseff a'i siaced fraith, nes i un o wybodusion y pentref egluro inni mai 'blazer' streips Coleg Bangor oedd y siaced fraith. Rhoddwyd ar ddeall inni hefyd mai Idwal, mab Dafydd Jôs 'Rhen Ffrind oedd y gŵr golygus. Roeddem ni'n hen gyfarwydd â Dafydd Jôs y tad, gyda'i chwant bwyd parhaus.

Gofynnais i Idwal, fel Gwilym R., pa fangre yn ei blentyndod a arhosai yn ei gof, a'i ddewis oedd bwthyn unig hanner ffordd i fyny Allt Drws-y-coed le magwyd y brodyr Francis, Griffith ac Owen ar ôl marwolaeth eu rhieni yng Nghwm Pennant. Tŷ Nant oedd enw'r bwthyn, a'u taid a'u nain a fu'n gyfrifol am eu magwraeth. Nid wyf yn sicr beth oedd y cysylltiad rhwng teulu Idwal a Tŷ Nant, ond byddai Idwal yn cerdded yno gyda'i fam pan yn blentyn, ac y mae'n amlwg bod awyrgylch y lle a'r olygfa fendigedig o'r holl ddyffryn o'r naill ben i'r llall wedi aros yn ei gof am y gweddill o'i oes. Pan oeddwn i'n blentyn yn fy arddegau, byddwn yn dringo'r allt serth gyda'm beic, a'r pryd hynny yr oedd hen wraig yn byw yno, ac yn barod iawn am sgwrs a rhoddi llymaid o ddŵr i'r sychedig. Pan euthum yno yn y saith degau gydag Idwal, nid oedd yr hen fwthyn ond adfail.

Roedd Idwal yn enwog am ei ffraethineb a'i hiwmor sych, byrlymus. Nid anghofiaf byth y siwrne honno i Dŷ Nant. Eisteddai'r ddau ohonom ar y mur tu allan i'r hen furddun i recordio'r sgwrs; adroddai hanesion, y naill un ar ôl y llall a achosai i mi chwerthin yn ddireol. Roeddwn yn bur bryderus ar ôl gorffen y recordiad beth fyddai ymateb y BBC, ond derbyniwyd y tâp a chlywsom y darllediad gyda'r chwerthin direol a phopeth arall. Roedd Idwal, fel Gwilym R., yn enwog trwy Gymru benbaladr, yn fwy adnabyddus mewn gwirionedd, oherwydd yn ogystal â'i ddawn fel pregethwr a'i allu arbennig i drin geiriau, ef oedd awdur y gyfres hynod boblogaidd honno i blant, sef 'Galw Gari Tryfan'. Yr oedd Idwal yn llenor arbennig iawn, yn bregethwr mawr a galw cyson am ei wasanaeth trwy Gymru. Ond cofier mai un o'n hogia ni oedd o, un o fechgyn Tal-y-sarn. Ys gwn i beth fu hanes y ffotograff hwnnw o'r bechgyn bach yn nŵr yr afon?

Ganwyd John Llywelyn Roberts (1921-1974) yn School Terrace Tal-y-sarn, yr ieuengaf o bedwar o blant, sef Jinni, yr hynaf, Gwilym, Wmffra a John, bach y nyth.

Byddai John a minnau'n chwarae gyda'n gilydd pan yn blant ysgol, er mai fy nghefnder Aled, mab Now Roland (perchennog y siop grosar) oedd ei ffrind pennaf. Nid oedd cowbois ac indians yn apelio ato o gwbl, ac nid oedd mor hoff o chwarae dychmygol fel Aled a minnau, na chwaith chwarae marblis a phêl-droed. Roedd ar wahân rywsut – geiriau oedd ei brif ddiddordeb – ond yr oeddem yn berffaith barod i'w dderbyn fel cyfaill beth bynnag ei wendidau (yn ein tyb ni). O edrych yn ôl, y mae'n amlwg bod John yn fardd o'r diwrnod y'i ganwyd. Hyd yn oed pan fyddem yn chwarae, yr oedd ganddo'r ddawn i drin geiriau a chreu delweddau a oedd tu hwnt i'n dealltwriaeth ni. Sylweddolodd Gwilym R. bod gan y bachgen botensial arbennig, a chymerodd ef dan ei adain, a heb ddim os, gwybodaeth a phrofiad Gwilym R a fu'n gyfrifol am droi bardd cynhenid yn fardd yn y dosbarth cyntaf. Roedd yn werinwr i'r carn, ac yn fy nhyb i, yn fardd mawr. Pan gofiaf am John, bydd un o gerddi W.J. Gruffydd yn dod i'r meddwl, sef 'Y Tlawd Hwn' (*Y Flodeugerdd Gymraeg*, Rhif 80, t. 89):

> Aeth hwn fel mudan i ryw rith dawelwch.
> A chiliodd ei gymrodyr un ac un,
> A'i adael yntau yn ei fawr ddirgelwch
> I wrando'r lleisiau dieithr wrtho'i hun.

Roedd yn berchen llais tenor hyfryd, a bu'n aelod ffyddlon o Gôr Meibion Dyffryn Nantlle am rai blynyddoedd. Gwerthfawrogai arweinydd y côr, sef C.H. Leonard ei ddawn fel bardd, ac ambell waith, byddai'n gofyn iddo ysgrifennu barddoniaeth addas ar gyfer rhyw gerddoriaeth a apeliai ato. Un o'r rhain oedd y gerddoriaeth boblogaidd gan Sibelius, sef 'Finlandia', ac fe ysgrifennodd John eiriau addas iawn sy'n cyfleu naws y gerddoriaeth. Nid geiriau gwladgarol yw'r rhain gan John, ond Hydref bywyd. Canwyd y geiriau laweroedd o weithiau gan y côr ar lwyfannau gogledd Cymru.

Roedd yn gynganeddwr heb ei ail, ac enillodd nifer o gadeiriau eisteddfodol. Mae yn fy meddiant gopi o'i bryddest, 'Tân', a dderbyniodd glod arbennig gan y beirniad T. Llew Jones yn Eisteddfod Genedlaethol Bro Myrddin yn 1974. Meddai T. Llew Jones, 'Mae "Llef yn y Bwlch" yn gynganeddwr hudolus tu hwnt, yn gampwr yn wir. Mae darnau gloyw iawn yn y Bryddest yma, a llinellau a chwpledau sy'n glynu yn y cof'. Cyhoeddodd John hefyd bamffled cynhwysfawr yn adrodd hanes Seindorf Frenhinol Dyffryn Nantlle. Collwyd llawer o gofnodion y band yn anffodus, ond y mae'r pamffled hwn yn sicr yn llenwi bwlch.

Bardd ei gynefin oedd John, bardd ei gyfoedion, ac anfarwolodd amryw ohonynt trwy gyfeirio atynt yn yr *Herald Cymraeg,* ac os crwydrwch ymysg y beddau ym mynwent Macpela, Pen-y-groes, fe welwch ddawn arbennig a chydymdeimlad John â'r ymadawedig ar nifer o feddfeini ei gyfoedion.

O'i gymharu â'r beirdd eraill y soniais amdanynt, nid oedd John yn fardd adnabyddus, ond roedd ei driniaeth feistrolgar o'r mesurau caeth yn ei osod yn bur agos i'r brig – gresyn iddo adael y fuchedd hon cyn cyflawni ei botensial.

Y mae un arall o fechgyn y pentref na ddylem ei anghofio, sef William John Davies (Wil John Ffred). Ysgrifennu a chyfansoddi oedd ei brif ddiddordeb, gyda phwyslais arbennig ar y ddrama. Dyna ei brif ddiddordeb, sef ysgrifennu dramâu ar gyfer y myrdd cwmnïau yng Nghymru, ac yn arbennig i'w gwmni ef ei hun yn Nhal-y-sarn. Trigolion lleol oedd yr actorion, ac yr oeddent yn adnabyddus mewn llawer pentref yng ngogledd Cymru. Yr Assembly Rooms yn Nhal-y-sarn oedd Drury Lane y dyffryn, ac yma y gwelais un o'i ddramâu pan oeddwn yn grwtyn. Nid wyf yn cofio teitl y ddrama, ond i ni, y plant – a'r oedolion o ran hynny – yr oedd yn ddrama gyffrous gyda rhannau trist, ond yn gorffen yn orfoleddus. Mam dlawd yng nghefn gwlad Cymru yn hiraethu am ei mab a aethai i wneud ei ffortiwn yng Nghanada oedd y thema. Llwyddodd y dramodydd i greu'r awyrgylch angenrheidiol ym mhob golygfa, ac erys un olygfa yn fy nghof hyd heddiw. Ar y llwyfan gwelem y mab yn ei dŷ o goed yn niffeithwch gogledd Canada, o'r golwg bron mewn trwch o eira gyda gwynt stormus yn rhuo'n ddi-stop a bleiddiaid llwglyd yn neidio o gwmpas y ffenestr. Llwyddodd y cyfarwyddwr (sef Wil John Ffred) i greu'r awyrgylch yn hynod feistrolgar, gan adael ein dychymyg i lenwi'r bylchau. Nid llwyfan yr Assembly Rooms ydoedd mwyach, ond diffeithwch gogledd Canada. Yr oedd hyd yn oed wedi dysgu terrier bach i neidio fyny ac i lawr tu allan i ffenestr y cwt pren a hwnnw'n cyfarth mewn soprano yn hytrach na chwyrniad bâs blaidd go iawn. Yr oedd y cyfan yn fyw iawn i bawb ohonom. Cynhyrchwyd sŵn y gwynt stormus trwy chwythu trwy chwibanogl yr oeddem ni'r plant yn hen gyfarwydd â hi, a oedd yn hynod effeithiol. Roedd Wil John hefyd yn ohebydd lleol i'r *Herald Cymraeg,* ef fyddai'n gyfrifol am enedigaethau, priodasau a marwolaethau Dyffryn Nantlle. Tyfai ei wallt yn hir fel un o actorion mawr Theatr Shakespeare yn Stratford-on-Avon, a pham lai, rhoddodd i ni syniad o'r hyn allai actorion lleol ei gyflawni. Pan ddaeth Sybil Thorndyke i'r Neuadd Goffa ym Mhen-y-groes yn y tri degau i berfformio un o ddramâu Shakespeare, yn Saesneg wrth gwrs, yr oeddem ni wedi hen gynefino â dramâu Wil John Ffred – yn Gymraeg. Diolch iddo.

Dyma'r geiriau gyfansoddodd John Llywelyn Roberts ar gais C.H. Leonard ar gyfer 'Finlandia' y cerddor adnabyddus, Sibelius. Mae naws geiriau John yn wahanol iawn i eiriau gwladgarol ardderchog Lewis Valentine sy'n cyd-fynd â naws cerddoriaeth y cenedlaetholwr Sibelius:

Pan dderfydd cân. Pan gauir gwindy'r môr,
A'r dail yn wylo ffarwel yn y glyn
Pan gwyd y gwynt ochneidiau wrth fy nôr,
Gan ddryllio'r haf a'i swynion fel y mynn;
Gwn ddyfod terfyn gwledd a'i ford yn llwm,
A'r briwfwyd crin yn weddill dros y cwm.

Ac uwch ei gwpan llwm myfyriaf dro,
Ai llwch yw diwedd ein dedwyddwch ni?
A menestr slei yn rhoi ei sicraf glo
Ar windy bywyd, wedi'r gwledda ffri?
Ond er i dân yr Hydref losgi'r haf,
Daw atgyfodiad, yn y Gwanwyn braf.

J.LL.R.

Hela a physgota

Gall hela fel y gwyddoch, gyfeirio at ffureta, saethu, neu gyda milgi, ac fe all pysgota gyfeirio at enweirio gyda phlu arbennig neu bryf genwair neu gynrhonyn, ac amryfal ddulliau eraill nad oedd ciperiaid yr afonydd yn cydweld â nhw o gwbl. Mwy o hynny ymhellach ymlaen. Ond gadewch inni ddechrau gyda'r helwyr – saethu yn bennaf.

Ni chlywais neb o genhedlaeth fy nau daid yn sôn am hela gyda milgwn yn y pentref, na ffureta chwaith o ran hynny, oherwydd nid oedd y tir yn addas i hela gyda ffured – byddai wedi diflannu am byth yn y rwbel llechi wrth ddilyn trywydd cwningen, ond cedwid ambell wn yma ac acw gan ychydig o ddynion, gan sicrhau bod y gwn allan o gyrraedd plant niferus y teulu. Y cyfnod y cyfeiriaf ato yw diwedd y bedwaredd ganrif ar bymtheg a dechrau'r ugeinfed.

Yn ôl hanesion a glywais yn ddiweddarach gan gyfoeswyr, ac aelodau o'r teulu, ymddengys bod fy nhaid, William Jôs Bachwr, yn heliwr arbennig iawn. Tad fy mam oedd o, wedi ei eni a'i fagu ym mhentref Edern ym Mhenrhyn Llŷn, lle'r oedd miloedd ar filoedd o gwningod yn llechu yn y pridd tywodlyd, neu'r cloddiau pridd, a'r rheiny mor fawr â mulod. Roedd hela cwningod yn rhan o'i etifeddiaeth, ac nid anghofiodd y grefft pan symudodd i ardal y chwareli. Ymddengys ei fod yn saethwr ardderchog, gyda'i wn baril sengl. Gwn blaenlwythwr ydoedd (*muzzle-loader*). Cyn ergydio yr oedd yn rhaid paratoi y gwn ymlaen llaw, trwy dywallt hyn a hyn o bowdwr drwy'i ffroen, ei stampio, ac yna tywallt nifer arbennig o haels yr un modd, a selio'r cyfan gyda lwmp o wadin i ddal y cyfan wrth ei gilydd. Byddai ei gyfoedion yn dweud wrthyf mor gyflym y gallai'r hen ŵr baratoi ei wn.

Ni chefais y fraint na'r boddhad o fynd gydag ef i chwilio am gwningen neu hwyaden yn y bore bach, ond pan fyddai mam a minnau'n galw i'w weld gyda'r nos, yn ddieithriad byddai cwningen neu hwyaden yn hongian ar fach wrth ddrws y cefn, a byddwn yn cael eu cyffwrdd. Byddai eu harogl yn aros yn fy ffroenau am oriau.

Roedd Mr John Robinson, perchennog Chwarel Tal-y-sarn a'r Plas moethus yn galw yn rheolaidd yng nghartref cyffredin fy nhaid, yn arbennig wedi iddo symud i fyw i 7 Nantlle Road yng nghysgod y Capel Mawr. Yn ôl Mam, siarad am saethu a hela y byddent, er mai dim ond brain yng nghoed y Plas oedd targed Mr Robinson, tra byddai 'nhaid yn hela'r tomennydd am gwningen neu hesg y Mwd am hwyaden. Ymddengys hefyd bod fy nhaid yn arddwr penigamp, a byddai'n trin gardd fawr Dorothea House i'w feistr W.J. Griffith i gynhyrchu tatws a llysiau. Ond yr oedd gan W.J. Griffith ddiddordeb mewn saethu, ac o ganlyniad, yr oedd y gwas a'r meistr yn dipyn o fêts.

Roedd dynion a merched cefn gwlad y pryd hynny yn hen gyfarwydd â chyfrinachau natur, a gallent ddarllen arwyddion natur bron cystal â'r anifeiliaid gwyllt. Rwy'n cofio fy ewythr Llew, brawd fy mam, yn adrodd hanes wrthyf am achlysur arbennig pan oedd ei dad, William Jôs Bachwr yn wael yn ei wely, ac yntau wedi mynd allan i chwilio am ysgyfarnog i wneud 'potas' i'r hen ŵr. Eistedd yr oeddem ar y pryd tu allan i ddrws yr 'Injan Fawr' yn gwrando a gwylio'r pwmp yn codi cannoedd o alwyni o ddŵr bob munud o'r Twll Coch. Treuliais oriau gydag ef yn y fan honno yn yr haf, yn gwrando arno yn adrodd hanesion am saethu a hela. Cyfeirio yn gyson at ei dad, fy nhaid y byddai, yn arbennig ei wybodaeth o natur, nid gwybodaeth o lyfr, ond gwybodaeth wedi'i seilio ar reddf, a threulio'i ddyddiau cynnar ynghanol byd natur. Meddai Llew, 'Roeddwn wedi bod wrthi drwy'r bore yn chwilio am 'sgwarnog, ac yr oedd ffroen sensitif yr hen Smart wedi methu hyd yn oed (ci hela ardderchog oedd Smart), a gorfu imi droi adre'n waglaw. Pan ddywedais wrth fy nhad am y methiant, dywedodd wrthyf: "Dos i gors Taldrwst, a dilyn y wal sy'n mynd o lan yr afon i gyfeiriad Tanrallt, ac fe weli ar y chwith lwyn trwchus o ddrain mwyar duon, ac mi godi di 'sgwarnog". Yn wir i ti,' meddai Llew, 'roedd o'n iawn. Mi es i'n ôl i'r gors, a'r llwyn drain, a chodais 'sgwarnog, a llwyddais i'w saethu, a dychwelodd Smart ataf a'r 'sgwarnog yn gelain yn ei geg, a'i gynffon byr yn chwifio fel melin wynt.'

Yn sicr yr oedd y genhedlaeth honno yn rhan o natur. Gwyddai'r merched pa blanhigion oedd yn addas at anhwylderau arbennig, yn arbennig anhwylderau plant. Y dynion yr un modd, gwyddent sut i drin eu gerddi i gynhyrchu llysiau a ffrwythau o bob math; os byddai ci defaid er enghraifft yn dioddef llyngyr, eu ffordd hwy o gael gwared â'r llyngyr oedd agor safn y ci a gwthio talp o faco cnoi i'w stumog, a gweithiai'r feddyginiaeth gant y cant.

Ychydig yn unig o ddynion Tal-y-sarn oedd yn berchen gwn, ac yr oedd powdwr a haels a 'chaps' i ffrwydro'r powdwr yn gymharol ddrud, ond yn fwy na hynny, nid oedd y gallu ganddynt i baratoi'r gwn ar gyfer ei danio. Ond roedd fy nhaid yn hen gyfarwydd â pharatoi'r gwn ar ôl hen ymarfer a chynefino. Coeliwch chwi fi, nid oes dim byd tebyg i botas cwningen, a hwnnw wedi'i ferwi'n araf deg ar dân agored – nid stôf nwy neu drydan. Gresyn na chawswn dreulio mwy o amser yn ei gwmni, a dysgu cyfrinachau natur fel yntau.

Yn fy nghyfnod i, roedd Llew wedi etifeddu greddf a dawn ei dad. Roedd yntau yn heliwr penigamp, ac yn saethwr heb ei ail. Erbyn y tri degau roedd mwy o ddynion yn berchen gwn nag a fu yn y gorffennol. Hoffwn bwysleisio eto mai hela ar gyfer bwydo'r teulu y byddent, nid o ran pleser yn unig fel gŵr y Plas gynt, neu oruchwyliwr y chwarel. Roedd y gynnau a ddefnyddient hefyd yn bur wahanol. Nid oedd angen llenwi trwy'r ffroen, a 'stampio' powdwr mwyach, gellid prynu cetris yn siop Griffiths ym Mhen-y-groes, 25 mewn blwch taclus am hanner coron.

Roedd Llew yn berchen un o'r gynnau newydd hyn, gwn dau faril, ac roedd ganddo gi i'w gynorthwyo, sef Smart. Nid anifail anwes oedd Smart, er y byddai'r plant yn ei fwytho i'r entrychion, ond ci hela, i sicrhau llenwi'r sosban. Ond O! roedd o'n gi cyfeillgar, ac yr oedd gennyf innau feddwl y byd ohono. Ni fyddai perchnogion y cŵn byth yn prynu ci o frîd, ond hanner brîd, oherwydd yn eu tyb hwy, roedd hanner brîd yn haws i'w fagu, gyda llai o drafferthion gyda'u hiechyd.

Pan oeddwn yn un ar bymtheg oed, prynais drwydded gwn am 7s 6c (37c heddiw), a blwch o getris (25) am hanner coron (2s 6c – 12½ ceiniog heddiw). Byddai Llew yn caniatáu i mi ddefnyddio ei wn ef, ar yr amod y byddwn yn mynd i hela ar fy mhen fy hun. Treuliais oriau yn cerdded llechweddau a chwareli Tal-y-sarn a'r cylch, a chi newydd wrth fy sawdl, sef Cymro. Yr oedd yr hen Smart wedi'n gadael i hela ym mharadwys y cŵn. O'r cychwyn cyntaf, yr oedd Cymro a minnau yn ffrindiau pennaf, ac roeddem yn dra chyfarwydd â Pharc y Bell; Parc Ty'n y Fawnog; tomenni rwbel Tal-y-sarn, Blaen y cae, Gallt Fedw. Gallai tir Penybryn hefyd warchod aml gwningen. Gyda'r nos, byddai nifer o ysguthanod yn clwydo o gwmpas y chwareli, a byddai ambell un o'r rheiny'n mynd i'r popty. Ond paradwys 'Cymro' oedd hesg a dyfroedd y Mwd; cafodd y ddau ohonom aml i hwyaden wrth hela'r glannau.

Pan adewais Ysgol Ramadeg Pen-y-groes yn 1941, ar fy ffordd i'r Llu Awyr, yr oeddwn wedi cyrraedd fy uchafbwynt fel heliwr a saethwr ac wedi etifeddu mantell William Jôs Bachwr a Llywelyn ei fab, ac roeddwn yn ymfalchïo yn hynny.

John Selwyn Edwards (John Sêl)

Ganwyd ef, magwyd ef, a threuliodd ei holl fywyd yn 17 Eivion Terrace, ar wahân i'w flynyddoedd olaf, a dreuliodd ym Mhlas Gwilym. Stwrcyn bychan ydoedd, rhyw bum troedfedd a hanner o daldra, ac yn dra chyhyrog. Becar ydoedd wrth ei alwedigaeth a llafuriai ar ei ben ei hun ym mecws siop grosar Now Roland. Safai'r siop hanner ffordd i fyny'r allt a arweiniai o'r Caffi at yr ysgol a School Terrace. Roedd yn berchen meddwl chwim, a dwylo eithriadol fedrus a dyfeisgar. Heb air o gelwydd, gallai John droi ei law at unrhyw beth. Roedd yn drydanwr medrus, a bu'n gweithio am gyfnod yn chwarel Penyrorsedd. Gallai drin cerrig ar gyfer adeiladu; gallai wneud gwaith coed; gallai arlunio ar bren neu gerfio ar garreg. Er enghraifft, o flaen rhes dai Eivion Terrace, roedd llwybr cul a wal a wahanai'r tai oddi wrth y gerddi, rai troedfeddi yn is. Ar ben y wal, roedd llechi glas, lle byddai pawb yn eistedd ar noswaith gynnes yn yr haf. Ar y llechen las o flaen tŷ John, roedd wedi cerfio lluniau adar ac anifeiliaid o bob math yn hynod broffesiynol. Cyn belled ag y gwn i, mae'r cerfluniau yno hyd heddiw. Roedd ganddo lais bâs grymus ond swynol, a bu'n aelod o Gôr Meibion Dyffryn Nantlle am flynyddoedd.

Roedd ganddo chwaer hŷn yn byw yn Llundain, a brawd iau, Myrfyn, a dreuliodd rai blynyddoedd fel milwr gyda'r Gwarchodlu Cymreig. Wedi iddo gwblhau ei gyfnod yn y fyddin, arhosodd Myrfyn yn Llundain, ond byddai'n dychwelyd i'w gynefin bob hyn a hyn – a byddai yn dod â gwn gydag ef. Roedd yn hoff iawn o hela, ac yr oedd yn saethwr ardderchog. Byddai John yn mynd gydag ef i gyffiniau Llangybi a Chwilog i wlad y cwningod. Pan ddychwelodd Myrfyn i Lundain, dechreuodd John ymddiddori mewn gwn a hela, a chan fy mod innau yn byw yn rhif 14, byddai'r ddau ohonom yn mynd gyda'n gilydd i'r chwareli a'r corsydd a gwn dan ein cesail. Ychydig iawn, iawn o brofiad hela a gafodd John erioed, ac o'r herwydd, byddwn yn gwneud yn sicr y byddwn tu ôl iddo pan fyddem yn hela. Byddai ei gap bob amser yn hongian ar ochr ei ben, a byddai'n prepian fel melin glep yn ddychrynllyd o gyflym. Os nad oedd gennych glustiau fel cath, byddech wedi colli hanner yr hyn fyddai John yn ei ddweud. Pur anaml y gwelem gwningen, gan y byddai llais bâs John wedi achosi iddynt ddiflannu i'w tyllau ymhell cyn i ni gyrraedd, a phob ysguthan wedi cilio i'r dail mwyaf trwchus ar y goeden. Ond roeddwn wrth fy modd yn ei gwmni.

Roedd galwad yr heliwr wedi gafael ynddo, ac yn ei ddull dyfeisgar ei hun, aeth ati i wneud gwn. Yn ei gartref yr oedd hen reiffl a ddaeth i feddiant y teulu ar ôl y Rhyfel Byd Cyntaf. Peidiwch gofyn i mi sut. Reiffl milwr o'r Almaen ydoedd, gyda chalibr o gwmpas .303 ar gyfer bwledi. Gyda'i fedrusrwydd arbennig tynnodd John ffrâm y gwn oddi wrth y baril, a gosod baril newydd yn ei le – o'i wneuthuriad ei hun, i dderbyn cetris i ffitio calibr 12 *bore*. Dyna'r gwn rhyfeddaf a welais erioed, ac yr oedd yn beryg bywyd.

Un gyda'r nos aeth y ddau ohonom i gors Taldrwst i chwilio am 'sgwarnog, ond yn bennaf i roddi'r gwn newydd ar brawf. Fel arfer, gwneuthum yn sicr fy mod yn dilyn John a'i wn. Rywfodd neu'i gilydd, baglodd John yn y brwyn, a chlywsom anferth o glec yn diasbedain o'r naill ben o'r gors i'r llall. Ymddengys bod y triger yn sensitif ofnadwy, a thaniodd y gwn. Roedd o'n beryg bywyd.

Dro arall, yn yr un gors, gwelais John yn sefyll yn ei unfan yn hollol lonydd, fel llwynog Williams Parry gynt. Safai ar boncen a'r gwn bondigrybwyll yn anelu yn syth i lawr at ei draed, a dweud y gwir, disgwyliwn ei weld yn treulio gweddill ei fywyd yn ungoes. Taniodd, a dyma'r llais bâs yn gweiddi. 'R'ydw i wedi cael un.' Euthum ato i'w longyfarch am saethu ei sgwarnog cyntaf. Y mae'n amlwg ei fod wedi gweld yr anifail ar ei wâl, rhyw lathen i ffwrdd oddi wrtho, a phan gyrhaeddais, nid oedd dim ar ôl ond pen a dwy glust a sgyfaint.

Yn anffodus, nid yw gofod yn caniatáu i mi adrodd mwy o hanesion John a'i wn, ond un diwrnod, aeth i Gaernarfon i brynu gwn 'go iawn'. Gwn o wlad Belg ydoedd, ac yr oedd hwnnw mor beryg â'r llall. Gwn dau faril oedd o, ond bob tro y tynnech un triger, byddai'r ddau faril yn tanio. Peryg bywyd. Gyda'r gwn newydd, saethodd ei ffesant cyntaf yn Llangybi, a phan euthum ato, yr oedd yn sefyll uwchben y celain, a'r dagrau yn llifo i lawr ei ruddiau. Oedd, yr oedd yn galon feddal heb ddim os. Treuliais dair blynedd hapus iawn yn ei gwmni, ac fel y dywedais mewn pennod arall, byddwn yn galw yn y becws am sgwrs a chrystyn ffres yn syth o'r popty. Heliwr unigryw iawn oedd John, a byddaf yn cyfeirio ato eto ymhellach ymlaen.

Byddai Ernest Tan-y-graig, Cavour St., a oedd yn anffodus yn fyr iawn ei wynt, yn troedio Parc y Bell gyda'i sbaniel bach wrth ei gwt. Credai Ernest bod hela yn hamddenol yn y Parc yn lles i'w emphysemia.

Cyfeiriais at Alf Henderson yn barod fel heliwr a saethwr. Dyna Harold Jones wedyn, a drigai yn Nantlle Road, a lwyddai yn gyson i osgoi ciperiaid Glynllifon. Nid ffesant ar gyfer y popty fyddai hwn, ond i ychwanegu at yr arian prin a enillai bob wythnos.

Yr unig ffuredwr yr oeddwn yn gyfarwydd ag ef oedd Wil Pen Ffridd. Yr oedd ef yn byw yn y Creigiau Mawr, hanner ffordd i Ben-y-groes. Chwarelwr oedd Wil, gyda'i gap, fel John Sêl, yn hongian ar ochr ei ben. Corff bychan cyhyrog, ac yn denau fel lath. Roedd yn berchen terrier, a'i ddwy goes ôl yn debycach i gromfachau neu goesau John Wayne. Ymddengys ei fod wedi ceisio croesi'r ffordd fawr pan oedd y bws yn mynd heibio, gyda chanlyniadau trychinebus. Ond bu'r ddamwain o fendith i Wil, oherwydd ni allai'r ci redeg yn wyllt ar ôl cwningen. Byddwn yn mynd gyda Wil i ardal Pant Glas a Bryncir, lle'r oedd digonedd o gwningod yn 1940, a llawer o alw amdanynt gan y cyhoedd oherwydd prinder cig yn y siopau, ac yr oedd cig cwningen, neu froth, yn hynod faethlon. Peidiwch meddwl mai heliwr oddi cartref yn unig oedd Wil; yr oedd yn hen gyfarwydd â llechweddau Tal-y-sarn a'r tomeni rwbel. Roedd o a'i ffured a'i gi yn deall ei gilydd i'r dim ac yn cydweithio'n hynod ddeallus.

Rwy'n cofio cyrraedd stesion Pen-y-groes un pnawn gyda llwyth o gwningod, a chyn gadael y stesion, yr oedd Wil wedi gwerthu tua phymtheg ohonynt i forwyr ar eu ffordd adref o HMS *Glendower*. Pres peint i Wil a phres poced i minnau i brynu mwy o getris. Gyda llaw, bu Wil yn aelod o'r Gwarchodlu Cartref, a gwisgai ei lifrai milwrol gyda balchder. Ond yr oedd un broblem, nid oedd yn barod unrhyw amser i wisgo ar ei ben ond ei gap chwarel. Ar ddiwedd y Rhyfel, cynhaliwyd cinio mawreddog yn y Drill Hall ym Mhen-y-groes, ac yn ôl yr hanes, gwrthododd Wil yn bendant dynnu ei gap yn ystod y cinio, a meiddiodd yfed ei goffi o'r soser; hyd yn oed pan orfodwyd pawb i sefyll i yfed llwncdestun i'r Brenin, safai cap Wil yn yr amlwg fel Seren Bethlehem.

Sei Bach a'i Filgi Brych

Hen lanc oedd Sei, yn byw gyda'i fam yn School Terrace. Fel Gwilym R. a Dic ei frawd, yr oedd yntau wedi derbyn addysg uwchradd yn Ysgol Uwchsafonol Caernarfon (Segontiwm). Cawsai addysg dda, ac yn ôl ei gyfoedion, yr oedd yn fathemategydd ardderchog.

Nid oes gennyf syniad beth oedd ei enw bedydd, Sei oedd o i bawb yn y pentref. Pam 'Sei' ys gwn i? Dyma'r gair a ddefnyddiai cofis Caernarfon am chwe cheiniog, ac efallai bod Sei wedi mabwysiadu'r gair hwnnw a'i ddefnyddio gartref, ac o'r herwydd, dyna'i enw. Rwy'n credu bod Sei wedi cael ei ddifetha gan ei fam, oherwydd nid oes gennyf gof amdano yn gweithio'n swyddogol yn unman, ond gweithiai'n galed fel casglwr betiau a'r arian i'r bwci lleol, sef Morgan John (y bandiwr). Fe synnech faint o bobl Tal-y-sarn fyddai'n astudio'r 'ji-jis' yn y tri degau a'r pedwar degau, ac yn mentro rhyw chwe cheiniog bob ffordd ar ryw geffyl, neu ddau neu dri neu bedwar gyda'i gilydd. Gwaith cymhleth oedd darganfod faint yn union oeddech wedi ennill (pan fyddai hynny'n digwydd yn achlysurol), ond yr oedd Sei, a'i wybodaeth fathemategol yn feistr ar y gwaith, er y byddai dadlau brwd a bron at daro rhyngddo a rhai cwsmeriaid. Fel John Sêl a Wil Penffridd, stwrcyn bychan oedd Sei hefyd, â'i gap yntau yn hongian ar ei ben, yn ôl y ffasiwn. Ychydig dros bum troedfedd oedd ei daldra, ond nid oedd mor gyhyrog o bell ffordd â'r gweithwyr yn y chwarel.

Roedd o a Cledwyn Henderson yn fêts mawr. Roedd Cled yn gefnder i Alf Henderson y bandiwr a'r arweinydd. Fel ei gefnder, treuliasai Cled rai blynyddoedd yn addurno ffenestri siopau dillad mwyaf Manceinion, cyn dychwelyd i'w gynefin yn Nhal-y-sarn i fagu moch. Roedd o yn ŵr deallus, ac yn gamblwr heb ei ail.

Yn yr Half Way Inn y byddai'r frawdoliaeth yn cyfarfod i drafod materion y dydd, ac yno y daeth y syniad i ben Cled mai da o beth fyddai cynnal rasus cŵn yn Nhal-y-sarn, nid rasus cŵn defaid fel a gynhelid ar gae fferm Tŷ Coch, ond yn hytrach rasus milgwn fel yn y White City gyda bwcis a'r holl geriach angenrheidiol. Yr oedd yno, yn naturiol, ysgyfarnog artiffisial ynghlwm wrth raff hir a dynnwyd yn gyflym gyda bôn braich fel na allai'r cŵn gael gafael ynddo cyn diwedd y ras. Y man cyfarfod oedd stribyn o dir a redai ochr yn ochr â'r afon ar dir fferm Taldrwst. Fel y disgwyliech, yr oedd popeth wedi'i drefnu yn drwyadl, a phan wawriodd y diwrnod arbennig hwnnw, yr oedd nifer sylweddol o frawdoliaeth y gambliars a'r bwcis wedi cyrraedd.

Yr oedd y diddordeb lleol yn wefreiddiol, ar wahân i'r gweinidogion lleol a'u blaenoriaid, a edrychai ar yr holl drefniadau fel gwaith y diawl.

Prynodd Sei filgi brych anferth, a dweud y gwir yr oedd yn ddigon tal i roddi reid i Sei yn hollol ddidrafferth, ond yn anffodus, bob tro yr ymddangosai milgi Sei, ni fyddai sôn amdano ar derfyn y ras.

Llwyddiant ysgubol fu'r diwrnod i'r frawdoliaeth sychedig, a bu sôn am y rasus cŵn yng nghors Taldrwst am flynyddoedd.

Ond beth oedd Sei am wneud gyda'r ci diwerth? Yr oedd ei fam druan ei ofn am ei bywyd, ac nid oedd croeso iddo yn y tŷ. 'Pam na wnei di'i "dreinio" fo i ddal cwningod go iawn?' gofynnodd Cled iddo yn eu 'seiat' wythnosol, 'ac ennill ychydig o arian yn eu gwerthu o dŷ i dŷ?' Syniad ardderchog, ond yn anffodus, nid oedd gan Sei syniad sut i dreinio anifail o unrhyw fath, yn arbennig yr anghenfil oedd yn ei feddiant. Penderfynodd Sei roddi cyfle i'r ci ddangos ei ddawn fel heliwr, ac aeth ag ef i lawr at wal Plas Glynllifon i'r Gyllgoed rhyw dair milltir i ffwrdd. Tra'r oedd yn cerdded yn llechwraidd wrth droed y wal, cododd cwningen dan drwyn y milgi, a diflannodd y ddau ohonynt i'r coed. Yr oedd y gwningen yn hen gyfarwydd â'i hamgylchedd, a gwyddai i'r fodfedd ble'r oedd ei thwll a'i chartref. Cyrhaeddodd adref rhyw lathen o flaen trwyn y milgi, a phan ddiflannodd i'w thwll wrth fôn y goeden, ni allai'r milgi druan ond rhuthro ar ei ben i'r goeden. Pan gyrhaeddodd Sei, roedd y milgi yn anymwybodol, y gwningen yn ddiogel, a Sei yn wynebu'r broblem sut i ddadebru'r ci. Yn ôl yr hanes, cyrhaeddodd y pentref yn hwyr y nos, gyda'r ci ar ei ysgwyddau. Does neb a ŵyr beth fu canlyniad yr antur yng Nglynllifon, ond ni welwyd y milgi byth wedyn. A dyna ddiwedd am byth ar ddiddordeb Sei mewn hela.

Dim ond cyfeillion Sei yn yr Half Way all adrodd yr holl hanes, ond yn anffodus, nid oes un ohonynt ar ôl. Treuliodd Sei y gweddill o'i oes yn dawel a dirodres yn casglu betiau gan bechaduriaid y pentref, a dyna'r ffordd y gadawodd y fuchedd hon.

Yn ogystal â helwyr roedd pysgotwyr o fri yn Nhal-y-sarn, a'r rheiny yn feistri ar eu crefft, cyfreithlon ac anghyfreithlon. Fe anfarwolwyd un ohonynt gan Griffith Francis yn ei gasgliad o farddoniaeth, *Telyn Eryri* (t. 123):

Hen Bysgotwr

Yn iach i ti Lyfnwy fendigaid
A llynnau brithylliaid fy mro;
Rhaid mynd heb het blu na phry' genwair,
A chrogi'r hen enwair dan do;
Pysgota'r gwyllt gulfor am Gristion
Roedd Un sy'n dal dynion i'w trin;
A phluen goch cariad Ei galon
A dynn i'w fron Siôn y Mashîn.

Marwnad sydd yma er cof am un o bysgotwyr mawr Tal-y-sarn, sef John Mashîn. Yr oeddwn yn gyfarwydd â John Mashîn yn ystod ei flynyddoedd olaf ar yr hen ddaear yma, er mai crwtyn oeddwn ar y pryd. Byddwn yn treulio oriau yn ei gartref yn Cavour St., oherwydd am ryw reswm, yr oeddwn yn hoff iawn o'i fab, Dafydd Mashîn. Yr oedd yno ferch o'r enw Mary, a mab arall o'r enw Non, a drigai yn Nhalyllyn ar y llwybr o Eivion Terrace i Barc Ty'n y Fawnog. Yn anffodus, ni pharhaodd fy nghysylltiad agos â Dafydd Mashîn yn hir iawn, oherwydd pechodd yn anfaddeuol yn fy erbyn, a dyma'r rheswm. Yr oedd Mam wedi prynu mochyn gini i mi, ac yr oedd gennyf feddwl y byd ohono, ac yn ei anwesu bob cyfle gawn i. Yn anffodus, diflannodd y mochyn gini rhyw bnawn, ac er chwilio yn ddyfal, nid oedd sôn amdano. Nid yw mochyn gini yn annhebyg i lygoden fawr ar yr olwg gyntaf, ac am ryw reswm daeth yr anifail i'r golwg yng ngardd gefn Dafydd, a lladdodd ef ar unwaith gan feddwl mai llygoden fawr ydoedd. Sorais yn bwt, ac ni faddeuais i Ddafydd ar ôl y digwyddiad. Ond o edrych yn ôl, cyn y mwrdro, yr oedd Dafydd yn rhywun arbennig iawn i mi; byddai'n mynd â mi am dro, a dangos imi'r blodau gwylltion a'u henwau, ac anifeiliaid anwes a gwyllt. Dysgodd lawer imi yn fy nyddiau cynnar heb i mi fod yn ymwybodol o'r ffaith.

Rai blynyddoedd yn ddiweddarach, byddwn yn disgwyl am Non, ei frawd, ar ei ffordd adref o'r chwarel. Smociai fel stemar, sigarets Players fel rheol, lle'r oedd cardiau lliwgar i'w cael. Byddai Non yn cadw'r cardiau imi, a byddwn innau'n eu casglu'n ofalus, nes byddwn wedi casglu'r 'set', hanner cant fel rheol.

Crwtyn oeddwn pan fu farw John Mashîn, ond y mae gennyf un darlun byw iawn ohono yn fy nghof. Bore Sadwrn oedd hi, bore Sadwrn cynnes ym mis Mai, a 'brishyn' ysgafn o'r de-orllewin yn crychu wyneb dŵr afon Llyfni. Gwn mai dydd Sadwrn ydoedd, oherwydd nid oedd fy nhaid, Owen Jôs yn gweithio y diwrnod hwnnw. Galwodd amdanaf, ac aeth y ddau ohonom law yn llaw i lawr at lan yr afon, ac yno ar ei gwrcwd ac yn llonydd fel crëyr glas rhag i'r pysgod weld ei gysgod ar y dŵr, oedd John Mashîn. Roedd ei het blu amryliw ar ei ben a'i lygaid yn gweld dim ond y bluen yn glanio yn ysgafn fel gwybedyn ar wyneb y dŵr, a'r plwc sydyn pan gydiai'r pysgodyn yn y bluen.

Pan ostegodd y 'brishyn', gostegodd awch y pysgod am frecwast, a dyna pryd y dangosodd John Mashîn ei fasged bysgota imi, a honno'n hanner llawn o'r brithyll hyfrytaf a welsoch erioed. Fel y crybwyllais uchod, teimlad ac arogl hwydwen wyllt a chwningen yn hongian wrth ddrws William Jôs, fy nhaid, yr heliwr, a ddeffrodd ynof y reddf hela; deffrowyd y reddf bysgota ynof pan welais y pysgod yng nghawell John Mashîn y bore hyfryd hwnnw ym mis Mai.

Roedd ef a Taid yn dipyn o fêts, a thra'r oeddwn i yn breuddwydio am y pysgod a welais, yr oedd y ddau ohonynt yn cael sgwrs ddifyr ar lawr gwelltog cynnes glan yr afon, ac rwy'n siŵr y byddai'r sgwrs yn parhau yn y Nantlle Vale Hotel y noson honno. Pysgota fyddai testun eu sgwrs bron yn ddieithriad rwy'n siŵr a'r plu a'r gêr a ddarparasent yn ystod misoedd y gaeaf. Pysgota oedd eu prif ddiddordeb, ar wahân i balu a phlannu tatws yn yr ardd.

Cyfeiriodd Griffith Francis yn ei farwnad at 'het blu' John Mashîn, ac y mae gennyf gof bychan o'r het blu honno yn frith o wahanol blu, a'r rheiny wedi'i ffurfio o flew ysgyfarnog, neu blu'r ddrudwen a'r betrisen, gyda chorff lliwgar i bob un. Ni fyddai siopwyr yr ardal yn gwastraffu amser yn ceisio gwerthu plu i'r genweirwyr hyn, oherwydd nid oedd eu cynhyrchion artiffisial hwy i'w cymharu â pherffeithrwydd y pysgotwyr profiadol. Byddai ambell siop yng Nghaernarfon yn gwerthu plu i estroniaid dibrofiad a ddeuai i'r ardal ar eu gwyliau, er mawr ddigrifwch i'r bois lleol.

Yr oedd fy nhaid hefyd, tad fy nhad, Owen Jôs, Penbont, yn bysgotwr a edmygid gan ei gyfoeswyr. Fel pawb arall, byddai yntau yn darparu ei blu ei hunan, a byddwn wrth fy modd yn ei wylio'n gegrwth ar noswaith aeafol yn paratoi ei blu, a byddai yntau wrth ei fodd yn mwynhau fy niddordeb.

Cyfeiriais eisoes at fedrusrwydd cenhedlaeth fy nau daid i ddarllen a dadansoddi arwyddion natur. Yr oedd Owen Jôs gystal dehonglwr natur ag ydoedd fy nhaid yr heliwr. Yng nghefn eu tŷ yn rhif 2 Eivion Terrace, yr oedd tomen o rwbel anferth, lle byddai'r bardd Anant yn gweithio ar ddiwedd y bedwaredd ganrif ar bymtheg. Ynghlwm wrth y 'domen fawr', yr oedd dwy domen lai eu maint, sef y 'domen ganol' a'r 'domen fach'. Pan fyddai'n 'ben mis' yn y chwarel, a'r gweithwyr yn derbyn ychydig dâl ychwanegol a oedd yn ddyledus iddynt, byddai'r ychydig arian ychwanegol yn mynd i boced y gweithwyr (y rhan fwyaf ohono beth bynnag), oherwydd gwyddai'r gwragedd i'r dim pryd y byddai'n 'ben mis'. Dyma eu 'celc'. Rhoddai hyn gyfle iddynt fynd ar y trên i bysgota afon Dwyfach neu Dwyfor yng nghyffiniau Bryncir. Rwy'n siŵr y byddent yn eistedd yn y trên yn breuddwydio am y basgedeidiau o bysgod oedd yn eu disgwyl, a chroeso cynnes perchennog tafarn Bryncir i dorri eu syched.

Ni fyddai fy nhaid yn mynd i afon Dwyfach yn aml iawn, am nad oedd y cyllid yn caniatáu, ond pan ddeuai'r awydd a'r cyfle, ar y nos Wener, cerddai yn hamddenol i gopa'r 'domen fach', ac edrych i gyfeiriad y de-orllewin, a phenderfynu, wedi pendroni ychydig, pa fath o dywydd i'w ddisgwyl drannoeth, a pha blu i'w dewis i ddenu'r pysgod.

Roedd cyfeiriad y gwynt yn bwysig iddo pan wnâi ei benderfyniad terfynol. Ar ôl eistedd yno ar garreg las am beth amser, a chymryd popeth a welsai i ystyriaeth, penderfynai yn y fan a'r lle a oedd am fynd ai peidio. Os oedd yr ateb yn gadarnhaol, dychwelai adref ac eistedd ar stôl fach drithroed tu allan i ddrws y cefn, ac yno dewisai ei blu a'i gêr ar gyfer trannoeth.

Yn anffodus, bu farw fy nhaid pan oeddwn yn un ar ddeg oed, ac ni chefais y cyfle i fynd i bysgota gydag ef a dysgu mwy am gyfrinachau natur yr oedd ef mor gyfarwydd â nhw. Bendith i'w lwch. Ef fyddai'n mynd â mi i hen sied ddi-do chwarel Tal-y-sarn i gicio pêl pan oeddwn o gwmpas tair oed. Yr oedd braidd yn siomedig pan sylweddolodd fy mod yn droedchwith, ac yn fwy siomedig fyth pan sylweddolodd fy mod yn llawchwith hefyd. Ceisiodd ei orau glas i argyhoeddi Mam mor bwysig ydoedd defnyddio'r llaw dde, ac y dylai hi fy nysgu i wneud hynny. Iddo ef, yr oedd person llawchwith dan anfantais yn y sied pan fyddai'n defnyddio cyllell naddu.

Roedd Hugh Ifas Gwernor yn bysgotwr o fri hefyd, ac yn wahanol i'm taid, cefais y fraint o gyd-bysgota ag ef pan oedd mewn gwth o oedran. Dysgais lawer iawn gan Hugh Ifas, nid gwybodaeth llyfr, ond gwybodaeth profiad a hwnnw wedi'i seilio ar wybodaeth ei gyndadau. Yr oedd ef yn hoff iawn o bysgota yn y nos, a hithau cyn ddued â'r fagddu. Ond yr oedd un anhawster. O gwmpas Mehefin a Gorffennaf y byddem yn mynd yn y nos a phobman yn gynnes ar ôl gwres y dydd a'r pysgod llwglyd yn fywiog, ond yr anhawster oedd yr ystlumod, degau ohonynt yn hedfan i fyny ac i lawr yr afon oherwydd yn y fan honno y byddai'r gwybed yn casglu, ac yr oedd perygl i'r ystlumod daro lein yr enwair a'i chlymu a'i gwneud yn amhosibl i'w datod yn y nos. Ni allech weld eich llaw, a gosodid y cynrhon ar y bach trwy gyffyrddiad. Gan ei bod mor dywyll, yr oedd ein clyw yn feinach, a chlywem lif ysgafn, dioglyd yr hen afon ar ei ffordd i Bontllyfni, a gwichian yr ystlumod wrth iddynt osgoi ei gilydd yn hollol ddidrafferth yn y tywyllwch. Ambell waith, byddem yn clywed sŵn eog yn trywanu ei ffordd drwy'r dŵr ar ei ffordd i ddodwy ei wyau yn llyn Nantlle. Paradwys o le oedd glan afon Llyfni yng nghefn trymedd nos.

Cynrhon oedd yr abwyd a ddefnyddiem yn y nos, a'r rheiny yn ffres a bywiog wedi'u magu mewn pen dafad a gadwai Eban Bach, Penyryrfa mewn cwt o flaen y tŷ. Ar lan yr afon, byddai'n rhaid rhoi eich llaw yn y tun a theimlo'r creaduriaid yn gwingo rhwng eich bys a'ch bawd cyn ei osod ar y bach. O! yr oeddent yn abwyd ardderchog ar gyfer pysgota yn y nos. Hugh Ifas oedd fy athro yn y maes arbennig hwn.

Byddai nosweithiau braf, cynnes, yn denu pysgotwyr hollol ddibrofiad i lan yr afon ar dywydd o'r fath, a chlywech stryffaglo a baglu yn y tywyllwch, a chan fod llais yn adleisio yn amlwg iawn dros ddŵr, nid iaith Ysgol Sul a glywech yn aml. John Idris Williams, mab Jac Mochyn Bach, oedd un o'r stryffaglwyr hyn. Roedd John yn berchen llais bâs godidog, a byddai'n cael ei hyfforddi gan yr enwog Osbourne Roberts. Ond nid oedd John yn bysgotwr. Y mae un noson yn fyw iawn yn fy nghof. Roedd John yn pysgota rhyw ugain llath oddi wrthyf, ac yn chwipio'r dŵr gyda lein a phlu, a gallaf eich sicrhau, dim ond y pysgotwyr mwyaf profiadol all bysgota plu yn y nos. Ar draws yr afon, gyferbyn â John, yr oedd yr hen Wili Jôs Glo, pysgotwr hollol ddibrofiad arall, a oedd, yn anffodus, mor fyddar â phostyn. Yr oedd yntau yn chwipio'r dŵr gyda thair pluen ddrud ar ei 'gyt'. Oherwydd ei fyddardod yr oedd Wili Jôs yn rhyfygu ei fywyd ar lan afon a hithau mor dywyll, ond dyna fo, ei ddewis o oedd y fenter. Gwyddai John yn iawn pwy oedd yn chwipio'r dŵr ar ei gyfer, 'fel adyn ar gyfeiliorn', a gwyddai nad plu rhad a ddefnyddiai Wili Jôs. Clywai lein Wili Jôs yn chwibanu drwy'r awyr; arhosodd John ei gyfle, a phan glywodd lein Wili ar ei hynt, taflodd John ei lein yntau, gyda'r canlyniad bod plu'r naill ynghlwm wrth blu'r llall. Tynnai y naill yn galed yn erbyn y llall, a chredai'r hen Wili ei fod wedi bachu'r eog mwyaf a welwyd erioed yn afon Llyfni. Yr oedd yn dra siomedig pan dorrodd ei 'gyt', a diflannodd ei blu – i law John ar draws yr afon, yn daclus. Aeth John adref gyda basged wag, ond yn berchen tair pluen na allai ond gwerthwyr glo fel Wili Jôs fforddio eu prynu, tra troediodd y gwerthwr glo adref yn waglaw, ond gyda stori am yr eog anferth a dorrodd ei 'gyt' a diflannu gyda'i blu – stori a barhâi am wythnosau.

Ond ni allaf adael yr adran bysgota heb gyfeirio at Eic Williams, a drigai yn 12 Brynderwen Terrace, Eic Bach Penllyn. Un o Lanberis oedd ei dad, a ymfudodd i Ddyffryn Nantlle, ac a drigai yn 'Cefn Siop', ond un o Benllyn, Llanberis oedd o. Heb ddim os, Eic oedd brenin y pysgotwyr, nid yn unig yn fy oes i, ond yn oes yr holl bysgotwyr a fu, neu dyna oedd barn y trigolion lleol beth bynnag. Gŵr bychan, eiddil yr olwg, fel llawer o'r chwarelwyr mewn gwirionedd, ond gyda chorff mor gadarn â derwen, ac yr oedd yn iach fel cneuen. Cerddai yn ddidrafferth i fyny llechwedd serth Cynffyrch, a'r tir tu hwnt, nes cyrraedd llynnoedd Cwm Silyn, neu'r Graig Las, gyda'i gêr pysgota ar ei gefn. Fel y dywedodd Syr Thomas Parry Williams yn ei soned, 'Llyn y Gadair', '. . . pysgotwr unig' oedd Eic, a phur anaml y byddai neb yn cael cyfle i fynd gydag ef, ar wahân i un cyfaill, sef Wil Saer, a letyai gyda Mary Ann Jim a'i brawd Dafydd Owen yn rhif 5 Eivion Terrace. Byddai Eic a Wil yn cael rhyw beint bach yn y Nantlle Vale ar nos Wener, ac yn ddieithriad, os byddai'r tywydd yn ffafriol, yn syth ar ôl stop tap, byddai'r ddau yn mynd ar eu beic i lyn Nantlle. Rwy'n cofio Wil yn dweud wrthyf un tro, fel yr aeth ef ac Eic i bysgota i'r llyn yn y nos. Safai'r ddau ohonynt ryw ugain llath oddi wrth ei gilydd, yn pysgota gyda phlu a chynrhon. Clywai Wil bysgodyn ar ôl pysgodyn yn cael ei lanio gan Eic, ac yntau yn dal 'dim ond annwyd', meddai. Galwodd ar Eic i ofyn pa blu roedd yn eu defnyddio, ac ymddengys bod Eic yn defnyddio'r union blu yr oedd Wil yn eu defnyddio. Ar gais Eic, newidiodd y ddau eu safle, aeth Eic i'r lle bu Wil, ac aeth Wil i'r lle bu Eic. Ond gwrthodai'r pysgod bluen a chynrhon Wil yn llwyr, tra'r oedd Eic yn parhau i lanio pysgodyn ar ôl pysgodyn. Y mae'n amlwg bod Eic yn bysgotwr arbennig iawn, gyda rhyw ddawn gyfrin i ddenu pysgod pa abwyd bynnag a ddefnyddiai.

Ar ôl yr Ail Ryfel Byd, byddwn yn cael ambell i sgwrs ddifyr gydag Eic, am bysgota fe ellwch fentro, ac yr wyf yn ei gofio'n dweud wrthyf fel y byddai'n dal pysgod yng Nghwm Silyn ac yn taflu ei blu bron hanner ffordd ar draws y llyn, a choeliwch chwi fi, yr oedd llwyddo i wneud hyn yn anghyffredin iawn hyd yn oed i Eic, a byddai yntau'n cyfaddef na fyddai hyn yn digwydd yn aml. Ef a'm cynghorodd i bysgota llyn Cwm Silyn ar amseroedd arbennig. Ar yr amseroedd hyn byddai'r pysgod yn codi i'r wyneb ac yn bwydro'n ffyrnig am ryw hanner awr, cyn diflannu'n ôl i'r dyfnder. Digwyddai hyn bob rhyw bedair awr, pan fyddai pryfed mynydd yn hofran uwchben y dŵr. Gwyddai Eic i'r dim pa bluen i'w defnyddio ar gyfer pryf arbennig.

Plu o'i wneuthuriad ei hun ddefnyddiai bob amser, a genwair 'split cane' a luniwyd gan ei ddwylo medrus ef ei hun. Yn ail hanner y tri degau yr oedd Eic yn bur adnabyddus i frawdoliaeth y pysgotwyr, a byddent yn galw i'w weld o Loegr a Chymru, a byddent yn prynu plu ac ambell i enwair gan frenin y pysgotwyr.

Un gyda'r nos, rhoddodd bluen i mi o'i wneuthuriad ei hun. 'Gosod hon ar flaen dy linyn pan fydd gwynt cryfach nag arfer yn chwythu o'r gorllewin; pluen ar gyfer pysgodyn mawr ydy hon, felly bydd yn ofalus.' Cefais gyfle i ddilyn ei gyngor. Yr oedd yn ddiwrnod delfrydol gyda gwynt cryf o'r gorllewin, a dyma fi'n taflu'r bluen i'r dŵr. Bachwyd pysgodyn ar unwaith, yn ôl y pwysau ar y lein, y pysgodyn trymaf a fachais erioed. Nid oedd fy lein yn ddigon cryf i'w dynnu i'r lan, a diflannodd y pysgodyn a'r bluen am byth.

Yn nechrau'r tri degau cynnar, a minnau o gwmpas naw, deg oed, byddem yn ceisio dynwared y bechgyn hŷn a wyddai sut i bysgota â dwy law o dan y torlannau. Yr oeddent hwy yn ddigon medrus i ddal pysgod oedd yn barod i'r badell ffrio, tra byddem ninnau, y cywion fel petae, yn dal silidons, neu 'frithyll y môr' i roddi iddynt eu henw 'posh'. Yn y ffrydiau bychain a dreiglai i lawr y llechweddau y byddem yn dal silidons, ac os oedd y dŵr yn fas, efelychem y bechgyn hŷn gan blethu dwylo o dan y dorlan. Os byddai'r afon yn byrlymu, yna roedd yn rhaid i ni fod yn fwy dyfeisgar. Byddai sosbenni yn diflannu o'r cartrefi i'w defnyddio o dan y dorlan. Fy hoff lestr i oedd y 'colander' neu hidliwr a ddefnyddiai Mam i baratoi pys ar gyfer y Sul. Roedd yn llestr ardderchog i ddal silidons o dan y dorlan oherwydd y myrdd tyllau ynddo, ac ni wyddai Mam druan ddim am antur y 'colander' yn ystod yr wythnos.

Pan oeddwn tua un ar bymtheg oed, yr oeddwn wedi dysgu digon gan y bechgyn hŷn yn gynnar yn fy oes sut i ddal pysgod â'r dwylo, a dysgwyd fi'n fanwl sut i bysgota gyda sach. Yr oedd digonedd o sachau i'w cael y dyddiau hynny, oherwydd yn siopau'r pentref, sachau a ddefnyddid i gadw tatws a rwdins a moron. Gwnaem gylchyn o weiren gref a'i gosod o fewn y sach, a'i chlymu'n dynn, fel bod ceg y sach yn agored. Yna, yn yr haf, pan fyddai dŵr yr afon yn fas, cerddem yn droednoeth drwy'r dŵr gan osod y sach wrth geg y 'slafod' hir a dyfai yn y dŵr. Yna sathrem ben pella'r tyfiant oddi wrth y sach, ac os oedd pysgodyn yn llechu yno, byddai'n ffoi am ei einioes ar ei ben i'r sach. Pur anaml y byddem yn cyrraedd adref yn waglaw, ac nid silidons fyddem yn ei ddal, ac ni fyddai 'nhad na mam yn cwestiynu sut y daliwyd y pysgod. Byddai sŵn gwefreiddiol o'r sach pan godem hi o'r afon, a'r pysgodyn yn 'fflapian' yn y sach. Yr oedd yn bysgota hollol anghyfreithlon wrth gwrs, 'ond hynny nid oedd ofid im'. Nid oedd y math yma o bysgota yn boblogaidd o gwbl gan y genweirwyr proffesiynol.

Nid oedd Alfred, rhif 20 Eivion Terrace yn bysgotwr medrus o bell ffordd, ond byddai'n dod 'fel adyn ar gyfeiliorn' i lan yr afon weithiau, gyda'i enwair a'i bryfaid genwair. Nid oedd ef yn rhy hapus pan welodd fy nghyfaill John Hend (John Henry Williams) a minnau gyda'n sachau yn yr afon, a rhybuddiodd ni rhag torri'r gyfraith. Fel yr oedd yn digwydd bod, yr oedd John a minnau ar fin gorffen, ac yn barod i ddod allan o'r dŵr i guddio'n sachau. Yr oedd yn bnawn bendigedig, gyda haul llachar ac awyr las ddigwmwl, a dim chwa o awel ar wyneb yr afon. Ni allai'r pysgotwyr gorau ddal pysgod ar bnawn o'r fath – yr oedd y pysgod i gyd yn llochesu yn y slafod a than y torlannau. Gosododd Alfred ei enwair wrth ei gilydd, a chlymu'r lein a'r bach, ac yna, o'i boced, tynnodd dun Oxo lle'r oedd ei bryfaid genwair yn disgwyl amdano, ond yn anffodus, nid abwyd oedd yn y tun, ond ciwbiau Oxo, a gorfu i Alfred ddychwelyd adref heb daflu un pry genwair i'r afon.

Yr oedd Tal-y-sarn y pryd hynny yn frith o bysgotwyr cyfreithlon ac anghyfreithlon. Erys y traddodiad o hyd, ac erys pysgotwyr medrus iawn yn y pentref o hyd, rhai ohonynt yn pysgota'n rhyngwladol.

Cyfnod 1939-41

Gwawriodd blwyddyn newydd 1939 fel pob blwyddyn newydd arall yr oeddwn yn eu cofio, ond yr oedd yn flwyddyn dyngedfennol i lawer, blwyddyn a newidiodd eu bywyd yn gyfangwbl.

Roeddwn yn y chweched dosbarth yn y County School, Pen-y-groes ac yn mwynhau bywyd fel pob bachgen o'r oed yna. Pêl-droed yn y gaeaf a chriced yn yr haf, a syrthio mewn cariad bob wythnos. Ac eto, yr oedd rhyw anghyfforddusrwydd yn bodoli o'n cwmpas fel yr âi'r flwyddyn rhagddi. Roeddem wedi clywed a darllen hanes y Prif Weinidog Chamberlain pan ddychwelasai o'r Almaen gyda'r ddogfen dyngedfennol honno a gyhoeddai 'Peace in our time', ac yr oeddem wedi gweld ffilm o Hitler ar y newyddion yn y Plaza gyda'i filoedd o filwyr. Yn nes adref, yr oedd maes awyr Penrhos ger Pwllheli yn prysur baratoi peilotiaid, saethwyr, 'navigators' a gwŷr i drin radio mewn awyren yn yr awyr. Roeddem wedi hen gynefino â'r Whitleys a'r Fairey Battles yn hedfan o gwmpas, ac roedd meysydd awyr Llandwrog a Valley yn rhan o gynlluniau'r Llywodraeth.

Roedd yn amser pryderus a phoenus iawn i'r rhieni hynny a oedd yn cofio erchylltra'r Rhyfel Mawr, a'r lliaws o fechgyn yr ardal a gollodd eu bywydau, ond i ni, antur oedd y cyfan. Yr oeddwn wedi rhoddi fy mryd ar hedfan gyda'r Llu Awyr cyn yr Ail Ryfel Byd er mawr bryder i'm rhieni. Crybwyllais wrthych mewn pennod arall mai dylanwad

Idwal, mab Ifan Jôs Garn a fu'n gyfrifol am y penderfyniad hwn.

Ar ddydd Sul, 3 Medi, 1939 clywsom y newydd ar y radio bod Hitler wedi ymosod ar wlad Pŵyl, a bod Prydain wedi cyhoeddi rhyfel ar yr Almaen. Ni wnaeth y cyhoeddiad hwn achosi unrhyw newid ym mywyd y pentref, aeth bywyd ymlaen fel arfer, er mai'r rhyfel fyddai testun y sgyrsiau ymhob man. Nid oedd brwydro ar y cyfandir, ac roedd pobman yn dawel ar wahân i'r ymosodiadau hynny gan y Llu Awyr ar dargedau milwrol yn yr Almaen. Dinistriwyd llawer o'n hawyrennau araf a thrwsgl yn ystod y cyfnod cynnar yma, a chollodd llawer o wŷr ifanc eu bywydau. Nid oedd neb wedi derbyn llyfr dogni, a ddaeth yn ddiweddarach yn rhan o fywyd pawb.

Y mae'n rhaid i mi yma, dalu teyrnged ddyladwy iawn i'r merched a'r mamau a lwyddodd, yn ystod blynyddoedd y rhyfel, i fwydo eu teuluoedd a'u plant am gyfnod o bum mlynedd a mwy pan oedd bwyd yn wirioneddol brin, a llyfr dogni gan bawb. Diflanasai ffrwythau cyfarwydd fel orennau a bananas o'r siopau, ac ni ddychwelasant am rai blynyddoedd. Yr oedd ffrwythau o'r fath yn hollol ddieithr i'r plant bach a anwyd yn ystod y rhyfel, a byddai eu llygaid bach fel soseri pan ailymddangosodd y ffrwythau hyn yn y siopau ar ddiwedd y rhyfel. Dim ond hyn a hyn o gig gawsech ei brynu yn siop y cigydd, a phur anaml yr ymddangosai pastai a sosej.

Nid oedd cig yn broblem, oherwydd yr oedd digonedd o gwningod a hwyaid gwylltion o gwmpas i lenwi'r cylla. Byddai fy ewythr Llew a minnau yn dal trên bump yn y bore yn stesion Pen-y-groes, newid yn Afonwen, cyn cyrraedd Pwllheli, a chael bws oddi yno i fferm perthynas yn Edern, lle'r oedd miliynau o gwningod yn disgwyl amdanom, a'r rheiny fel mulod. Byddem yn dychwelyd i Dal-y-sarn drannoeth dan ein sang, a rhannu'r ysbail gydag aelodau o'r teulu a chyfeillion. Byddai'r Mwd a Llyn Gloddfa Glai yn cyfrannu'n hael hefyd i'r popty. A dweud y gwir, nid wyf yn cofio chwant bwyd o gwbl yn ystod y cyfnod hwn. Yr oedd menyn ffres i'w gael yn y tyddynnod lleol yn bur ddidrafferth.

Ond i'r merched y mae'r diolch, am eu dyfeisgarwch yn cynhyrchu, rywfodd neu'i gilydd, fwyd blasus ar gyfer eu teuluoedd, ac os byddai aelod neu aelodau o'r teulu yn y Lluoedd Arfog, anfonid aml i barsel o'r cartref iddynt, hyd yn oed ym mhellafoedd Affrica neu Burma. Byddai teisennau cri a sigaréts yn dderbyniol iawn gan y bechgyn pa le bynnag fyddent. Diolch i'r merched am eu dyfalbarhad a'u gweithgarwch diffwdan.

Ond fe ddaeth tro ar fyd yn y pentref, pan gyhoeddwyd bod cais wedi dod o rywle i alw am wirfoddolwyr i ymuno â byddin o ddynion dros un ar bymtheg oed a oedd yn rhy hen i ymladd yn y fyddin broffesiynol, neu yn rhy ifanc, neu fod rhyw nam corfforol yn eu rhwystro. Yr enw ar y fyddin wirfoddol hon oedd y Gwarchodlu Cartref* neu'r *Home Guard* (* LDV – Local Defence Volunteers, oedd yr enw cyntaf ar y gwirfoddolwyr). Ar unwaith, trefnwyd cyfarfod gan rywun yn y Band Room i drafod y cais, a phenderfynwyd yn unfrydol y dylem wneud popeth a allem i leihau baich y bechgyn oedd yn Ffrainc. Ond nid oedd gan neb syniad beth i'w wneud nesaf. Nid oedd gennym lifrai o fath yn y byd, ac yn sicr nid oedd gennym wn addas i ddinistrio byddin Hitler. Nid oedd swyddog yn agos i ni, na *sergeant*, *corporal* na *lance corporal* hyd yn oed, i'n harwain. Pasiwyd yn unfryd ethol ysgrifennydd i dderbyn ac anfon llythyrau i'r pencadlys (ble bynnag oedd hwnnw), a phenderfynwyd ethol *sergeant* i fod yn gyfrifol am y drilio a'n cynghori mewn materion milwrol. Ar ôl trafodaeth benboeth, cynigiwyd y tair streipan *sergeant* i Evan David Evans (Ifan

Defi), a weithiai tu ôl i'r cowntar yn siop Rolant – oherwydd yr oedd nifer yn bresennol a fuasai yn y ffosydd yn Ffrainc. Pam Ifan? Oherwydd roedd ef wedi bod ymhellach oddi cartref na neb arall – yr Aifft i fod yn fanwl gywir. Ceidwad stordy fu Ifan yn yr Aifft, ac ni fu yn agos i unrhyw frwydr, ac o'r braidd y gwyddai ddim am wn na *bayonet*. Nid oedd erioed wedi gwisgo streips ar ei lifrai chwaith, ac felly, *sergeant* mewn enw yn unig oedd Ifan. Ond chwarae teg iddo, gwnaeth ei orau. Sôn am 'Dad's Army', nid oedd gennym ni neb tebyg i Captain Mannering, ond yn sicr yr oedd gennym nifer o Corporal Joneses. Roedd Ifan braidd yn swil, fel Sergeant Wilson yn 'Dad's Army', a phan fyddem ar 'parêd' yr oedd ei orchmynion yn rhy addfwyn o bell ffordd, a braidd yn dawel. Yr oedd amryw o aelodau hŷn y 'sgwad' ychydig yn drwm eu clyw, a phan fyddai Ifan yn galw, *'Atten – tion'* neu *'Stand at – ease'*, clywech lais rywun yn y *'ranks'* yn dweud, yn ddigon cas, 'Be gythral mae o'n ddweud dŵad'. Rheswm arall paham y dewiswyd Ifan oedd ei waith bob dydd. Byddai siop Rolant yn gwerthu coesau brws llawr, ac oherwydd nad oedd gennym wn i ymarfer ag ef, defnyddiem goes brws. Gallai Ifan roddi benthyg coes brws newydd sbon i bob un ohonom, ar yr amod nad oedd neb yn 'anghofio' dychwelyd y coes brws i'r *sergeant*.

Ymhlith y gwirfoddolwyr yr oedd cyfreithiwr pwysig, ond nid oedd ei olwg yn rhy dda o bell ffordd, a thra'r oeddem yn eistedd ar seddau caled yn y Band Room un noson ar ôl drilio, tynnodd o'i boced wn llaw awtomatig, gyda chwe bwled yn nythu'n glyd yn yr ystorgell (*magazine)*. Yr oedd wedi gwirioni gyda'i wn, ac yr oedd yn awyddus iawn i ddangos i mi, mor rymus ydoedd. Yr oedd ei olwg mor ddrwg fel na allai ddweud os oedd rhywun yn eistedd o'i flaen ai peidio. Taniodd y gwn, gan obeithio y buasai'r fwled yn plannu i goed y set o'i flaen, ond nid felly y bu.

Treiddiodd y bwled drwy'r pren a tharo'r wal o'i flaen, gan fethu o ryw fodfedd gorn mawr dwbwl bâs amhrisiadwy oedd yn hongian ar y wal. Cyngor 'deifiol' y *sergeant*? 'Cadw'r gwn 'na yn dy boced ngwas i, rhag ofn i ti frifo rhywun.'

Gwarchodlu Cymreig Tal-y-sarn eto

Ar ôl ychydig fisoedd yr oeddem wedi hen gynefino â'n lifrai milwrol, er nad oedd siwt neb yn ei ffitio'n iawn, ond ta waeth am hynny, gwisgem ein siwt gyda balchder pan gerddem i'n cyfarfod yn y Band Room. Ond yr oeddem wedi cael syrffed o'r drilio diderfyn bondigrybwyll, gyda gorchmynion aneglur y *sergeant* yn ein gwahodd yn garedig ac mor awdurdodol ag y gallai i Atten - *tion*; right - *dress*; shoulder - *arms*, ac yn y blaen. Dyna oedd holl gynnwys y cyfarfod, gyda seibiant bach yn y canol i ni gael ein gwynt atom. Sylweddolodd y *sergeant* bod diddordeb y sgwad yn pallu, yn arbennig pan glywodd lais rhywun yn rheng ôl y sgwad yn dweud, yng nghanol y dril, 'Arglwydd dw'i am fynd allan am smôc'. Achosodd y gwrthryfelgarwch hwn beth pryder i'r *sergeant* ar ddiwedd y noson, ac achosi nifer o nosweithiau digwsg iddo.

Yn ein cyfarfod nesaf, dangosodd ei fod yn wir haeddu'r tair streipen ar ei freichiau, gan ei fod wedi paratoi ymarfer inni yn yr awyr agored – yn ei dyb ef. Unwaith eto cors Taldrwst oedd y man cyfarfod. Dewiswyd tri ohonom: John Sêl (y cyfeiriais ato eisoes), Arthur Jones, 9 Brynderwen Terrace (plismon gyda'r Heddlu yng Nghaerdydd) a minnau, i fynd i guddio yn y brwyn trwchus, a byddai'r gweddill o'r sgwad yn ein dilyn ymhen rhyw hanner awr. Y tri ohonom ni oedd y 'parasiwtwyr' Almaenig a laniodd yn y gors ar eu ffordd i ddinistrio chwarel Dorothea

Gorchmynnwyd y sgwad i'n carcharu a'n cludo at y Sergeant. Nid oedd parasiwtiwr marw o werth i neb, felly nid oedd neb i saethu'r gelyn (diolch byth am hynny, oherwydd yr oedd gan rai aelodau byrbwyll fwledi, a gallent yn hawdd iawn anghofio mai ymarfer oedd hwn).

Roedd digonedd o loches yn y brwyn gan fod aceri ohono ar gael, a phenderfynodd y tri ohonom wahanu a chuddio yn ei ddewis le. Yr oeddem yn bur hyderus na lwyddai neb yn y sgwad ddod o hyd i ni mewn lle o'r fath, oherwydd yr oedd cerdded trwy'r brwyn yn waith blinderus i'r hynafiaid, ac nid oedd eu golwg yn rhy dda.

Yn anffodus, cyn i'r tri ohonom gyrraedd y gors, roedd nifer o fechgyn bach wedi cyrraedd o'n blaen i chwarae cowbois ac indians. Yr oedd eu llygaid barcud hwy yn gwybod yn iawn lle'r oedd y tri ohonom yn cuddio, a phan welsant y *sergeant* yn dynesu gyda'i sgwad, meddyliodd y plant mai oedolion yn chwarae cowbois ac indians oeddent, ac ar unwaith, aeth arweinydd y plantos at Sergeant Ifan. 'Mr Ifas,' meddai yn ei lais 'treble', 'os cawn ni ddod i chwarae cowbois ac indians efo chi, mi ddeudwn ni wrthych chi lle mae nhw'n cuddio.' Fel y disgwyliech, ni dderbyniwyd y cynnig, a dyna ddiwedd ar yr ymarfer am y noson, a phawb yn dychwelyd i'r Band Room yn ddigon penisel i gael mwy o 'atten – *tion*', 'stand at – *ease*', stand – *easy*'.

Ym mis Medi 1940, gorchfygwyd byddin Ffrainc gan 'blitzkreig' y Germans mewn byr amser, ond llwyddodd rhai miloedd o filwyr i ddianc i'r wlad hon o Dunkirk.

Ar ôl trechu Ffrainc, gallai rhai cannoedd o awyrennau'r gelyn ddefnyddio meysydd awyr y Ffrancod, a oedd yn bur agos i Brydain, ond yn waeth na hynny, yr oedd rhai miloedd o filwyr Almaenig wedi casglu ar arfordir Ffrainc, yn barod i groesi Môr Udd a goresgyn Prydain.

Tua un o'r gloch y bore daeth cnoc ar ein drws ffrynt, rhywbeth anghyffredin ac annisgwyliadwy iawn. John Sêl oedd yno yn ei lifrai milwrol a'i wn yn ei law. Roedd yn parablu mor gyflym fel y cymerodd ychydig amser i mi ddeall beth oedd yn ceisio'i ddweud. Roedd wedi cynhyrfu drwyddo. Deallais o'r diwedd bod y 'Germans wedi landio'. Meddyliais i ddechrau eu bod wedi landio yn Ninas Dinlle, ond deallais ymhen amser mai yng Nghaint, de-ddwyrain Lloger y disgwylid y landio. Daeth gorchymyn o rywle yn gorchymyn aelodau Gwarchodlu Tal-y-sarn i saethu'n gelain unrhyw *'storm trooper'* a laniai yn Nyffryn Nantlle.

Meddyliwch da chi, am sgwad Gwarchodlu a gynhwysai ddynion mewn oed, dynion ifanc nad oeddent yn tebol o ymuno â'r fyddin, a bechgyn dros un ar bymtheg oed, a edrychai ar y cyfan fel gêm o gowbois ac indians. Nid wyf yn credu y gallai un ohonynt saethu tas wair mewn entri.

Erbyn dau o'r gloch y bore roedd y sgwad wedi ymgynnull yn y caffi, lle'r oedd arogl y sglodion tatws, y pysgod a'r pys yn codi awch bwyd arnaf. Ond Huwcyn Cwsg oedd y bòs, ac ymhen ychydig amser roedd pawb yn pendwmpian cysgu, gyda chwyrnu soniarus gan ambell un.

Cyrhaeddodd un aelod o'r sgwad yn hwyr, un o gryddion y pentref mewn gwirionedd, ac ef am ryw reswm a benodwyd i fod yn gyfrifol am y 'machine-gun'. Nid oedd erioed wedi tanio'r gwn, ac nid wyf yn siŵr a wyddai sut i osod bwledi ynddo. 'Be' 'di'r mater hogia?' gofynnodd yn bur gysglyd, ac meddai John Sêl, 'Ma'r Germans wedi landio'. 'Arglwydd Mawr! Yli Ifan, cadw dy blydi gwn,' ac i ffwrdd ag ef nerth traed, ac ni welwyd golwg ohono yn y sgwad byth ar ôl hynny. Collodd y sgwad ei *'machine-gunner'* y noson honno.

Pan oedd y wawr ar dorri, penderfynodd Sergeant Evans ein hanfon allan ar 'patrol'. 'Ble ydach isho i ni fynd Ifan?' gofynnodd John Sêl. A'r ateb? 'Rywle liciwch chi.' Roedd Ifan yn bryderus braidd fod parasiwtwyr wedi glanio tra'r oedd ei sgwad yn cysgu. Penderfynodd John a minnau fynd i gyffiniau'r chwareli, ond rhyw ganllath o'r Caffi, gwelodd

John oleuni yn ffenestr llofft Mrs Grant Jones. Llithrodd geiriau allan o enau John can m.y.a. 'Rhowch y gola 'na allan ne mi saetha'i chi.' Dyma Mrs Jones i'r ffenestr, ac meddai, 'Be sy' arnoch chi ddyn. Mae'n rhaid i mi fynd i'r toilet.' Ychydig iawn, iawn o doiledau oedd i'w cael yn Nhal-y-sarn yn 1940, gallaf eich sicrhau, ac yr oedd ateb John yn ddealladwy i ni i gyd, 'Pam na newch chi yn y pot fel pawb arall?' Nid oedd Mrs Jones yn *'best pleased'* gyda geiriau John.

Roedd bron marw eisiau tanio'r reiffl oedd yn ei feddiant, ac wedi i ni gyrraedd fferm Tŷ Coch, glaniodd ysguthan ar goeden gyfagos, a choeliwch chwi byth, cefais drafferth i'w argyhoeddi nad oedd unrhyw debygrwydd rhwng sguthan bluog swil, a *'storm trooper'* o'r Almaen, er mai llwyd oedd lliw plu'r sguthan a lifrai'r milwr.

Cyraeddasom yn ôl yn y Caffi, a chlywed nad oedd yr Almaenwyr wedi glanio yng Nghaint wedi'r cyfan, a'u bod yn prysur ddiflannu oddi ar arfordir Ffrainc, ac euthum adref yn hapus a mwynhau fy mrecwast o 'baned a brechdan driog.

Efallai bod yr Almaenwyr wedi clywed am ffyrnigrwydd Gwarchodlu Tal-y-sarn, a'u bod wedi torri calon. Ta waeth, yr oedd Dyffryn Nantlle a'i drigolion yn ddiogel unwaith eto.

Peidiwch â meddwl am eiliad mai bychanu Gwarchodlu Cartref Tal-y-sarn a'u cymharu â 'Dad's Army' yw bwriad yr hanesion uchod. Roedd Sergeant Ifan Defi yn arweinydd cydwybodol, ac ymhen byr amser roedd sgwad Tal-y-sarn mor frwdfrydig ag unrhyw sgwad arall yn y cyffiniau.

Ffarweliais â Gwarchodlu Cartref Tal-y-sarn ar ddechrau 1941 pan sefydlwyd cangen o'r ATC (Air Training Corps) yn Ysgol Ramadeg Pen-y-groes. Hedfan gyda'r Llu Awyr oedd fy mryd a'm dyhead, nid aelod o'r fyddin milwyr traed. C.H. Leonard oedd y Prif Swyddog – ef oedd athro ffiseg yr ysgol, ac yn ei gynorthwyo yr oedd T.S. Jones, yr athro cemeg, dau ŵr galluog a brwdfrydig. Ond er i mi ffarwelio â nhw, nid anghofiaf byth y dyddiau cynnar hynny yn y Gwarchodlu Cartref gyda'm hen gyfaill John Sêl wrth fy ochr. O! fel y mwynhawn ei gwmni byrlymus, ei chwerthiniad heintus, ei ffraethineb a'i hunanhyder (ymddangosiadol beth bynnag), ond yn fwy na dim, ei gyfeillgarwch cadarn.

Bron bedair mlynedd yn ddiweddarach, dychwelais i'm cynefin ar ddiwedd y Rhyfel, a sylweddolais bod newid sylweddol wedi cymryd lle yn yr hen bentref. Yn gyntaf, nid oedd llawer o fechgyn ifanc ar ôl; naill ai yr oeddent wedi mynd i weithio i ffatrïoedd yn Lloegr, neu yr oeddent yn y Lluoedd Arfog.

Roedd llawer o'r merched yn gweithio amser llawn mewn ffatrïoedd o gwmpas Caernarfon, ac roedd llawer mwy o arian yn y gymuned.

Roedd cymanfaoedd canu yn boblogaidd iawn o hyd, ond yr oedd y gynulleidfa yn y gwasanaeth ar y Sul wedi lleihau, ac yn arbennig cyfarfodydd yn ystod yr wythnos, fel y Seiat a'r Band of Hope.

Roedd llai o weithwyr yn y chwarel, ond parhaent i gynhyrchu llechi, a pharhâi tyddynwyr y llechweddau i gerdded i'w gwaith caled bob dydd, cyn dychwelyd i'w tyddyn i wynebu mwy o waith ar y tir. Roedd tad Syr Thomas Parry yn un o'r rhain. Cerddai filltiroedd i chwarel Dorothea o du hwnt i bentref Carmel, a cherddai'r holl ffordd yn ôl bob dydd, cyn mynd ati i drin y tir.

Teimlwn yn hynod unig ynghanol y newidiadau a gymerasai le mewn byr amser. Nid oedd fy ffrindiau ar gael, rhai ohonynt na ddychwelent byth yn ôl i'w cynefin – fy nghefnder Aled, mab Now Rolant; Glyn becar, mab Mrs Robaitch Nantlle*; Robin Williams, Brynderwen Terrace, ac eraill.

* *Mewn Cymanfa Ganu yng Nghapel Mawr Tal-y-sarn, gwelwn Mrs Robaitch Nantlle yn morio canu yr hen emynau, ond trannoeth clywodd bod Glyn, ei mab, wedi'i ladd 'D-day plus one', cannwyll ei llygaid. Ni fu byth yr un fath.*

Roeddwn wedi cael fy nerbyn fel stiwdant i Goleg Prifysgol Bangor ym mis Ebrill 1945, ond nid oedd y flwyddyn nesaf yn dechrau tan fis Hydref. Gwnaeth fy nhad ei orau glas i'm cadw rhag suddo i iselder ysbryd. Erbyn hyn yr oeddwn yn berchennog gwn baril dwbwl, a phenderfynodd fy nhad a minnau fynd i hela cwningod amser llawn, er mwyn casglu arian i brynu llyfrau i fynd i'r Coleg. Byddem yn dal trên bump o'r gloch y bore o Ben-y-groes i Langybi, a hela o gwmpas y Lôn Goed. Cyraeddasom y nod, a phrynais lyfrau y flwyddyn gyntaf yn bur ddidrafferth, diolch i'r cwningod.

Un noson hafaidd ym mis Mehefin, aeth y ddau ohonom am dro i Glogwyn Melyn, ac eistedd yno heb ddweud gair, y naill yn edrych ymlaen i'r dyfodol, a'r llall yn edrych yn ôl i'r gorffennol pan fordwyai Fôr y Gogledd yn ystod y Rhyfel Mawr.

Heb fod ymhell o'r eisteddle hon, yr oedd tyddyn Robin (nid wyf am gynnwys ei enw llawn, rhag i mi frifo teimlad perthynas efallai). Gweithiai Robin yn galed yn chwarel Dorothea bob dydd, a thrin ei ddau gae bach a'i fuwch ar ôl dychwelyd adref gyda'r nos. Ym mis Mehefin byddai'n torri gwair yn y dull traddodiadol, gyda phladur, a dyna oedd yn ei wneud wrth inni fynd heibio y noson honno ar ein ffordd adref, yn chwys diferol a'i gap yn daclus ar ochr ei ben. 'Noson braf Robin,' meddai nhad, 'ond yn rhy boeth i dorri gwair.' Roedd Robin yn barod am seibiant bach, ac meddai, 'Na, ma' hi'n iawn Jac, ond am y blydi gwybad 'na sy'n fy mwyta i'n fyw.' Roedd y rhain o'i gwmpas yn gwmwl trwchus, ac fel un a drwythwyd yn yr Ysgrythur Lân yn yr Ysgol Sul a'r pregethau ar y Sul, dechreuodd ganu emyn mawr Dafydd William, Llandeilo. Nid oedd Robin y lleisiwr eisteddfodol gorau a glywais erioed, ond canodd er hynny, ar y dôn Llangloffan:

O Arglwydd dyro awel
A honno'n awel gref,
I chwythu'r blydi gwybad
Oddi yma hyd y nef.

Dim ond un cymeriad ffraeth oedd Robin ymhlith llawer o gymeriadau cyffelyb. Nid yw'r ffraethineb personol hwn i'w gael i'r un graddau heddiw yn anffodus.

Ar ôl cychwyn fy ngyrfa yn y coleg, a mwynhau pob munud, dim ond yn ystod y gwyliau y byddwn yn dychwelyd i'm cynefin, ond tra byddaf fyw, nid anghofiaf yr hapusrwydd anghymharol a fwynheais yn Nhal-y-sarn a 4 Eivion Terrace rhwng 1923 a 1941. Diolch i 'nhad a Mam am eu hamynedd a'u caredigrwydd di-ben-draw; i'm nain, a'r gymuned gynnes a fodolai yn y pentref y pryd hynny.

I 'ECHDOE' y perthyn y cyfnod o ddiwedd y ddeunawfed ganrif hyd ganol y bedwaredd ganrif ar bymtheg.

I 'DDOE' y perthyn y cyfnod o hanner olaf y bedwaredd ganrif ar bymtheg hyd 1941. Nid oes un aelod o'm teulu yn aros heddiw, ac er y byddaf yn galw yn yr hen bentref yn weddol reolaidd, y mae wedi newid. Y mae tai annedd moethus lle bu hen siopau o bob math, ac fel y disgwyliech:

Mae cenhedlaeth wedi mynd,
A chenhedlaeth wedi dod . . .

Tîm y Celts

Cyn ffarwelio â phentref fy mebyd sydd 'mor annwyl im', ac yn agos iawn at fy nghalon o hyd, hoffwn gyfeirio at ein tîm pêl-droed lleol, sef y Celts. Ymhell cyn dyfodiad y Plaza Cinema i Ben-y-groes, gemau'r Celts ar faes 'Dôl Beb' (Dôl Pebin) oedd prif adloniant y pentrefwyr ar bnawn Sadwrn.

Yn anffodus, ychydig iawn o hanes cynnar y tîm sydd gennyf; er enghraifft, nid wyf yn gwybod pryd y ffurfiwyd y tîm, a chan bwy, ond byddai Mam yn dweud wrthyf y byddai hi a'i chyfeillion yn mynd i wylio'r tîm yn chwarae yn negawd cyntaf yr ugeinfed ganrif, cyn y Rhyfel Mawr, ac yr oedd yn gallu enwi bron bob un o'r chwaraewyr yn y ffotograff a dynnwyd y flwyddyn y'm ganwyd, sef 1923. Dau chwaraewr a enwyd ganddi oedd Thomas Richard Williams (Twm Dic) a William Thomas Williams (Wil Tom Lydia). Mae Twm yn eistedd ar y pen ar y dde, a Wil yn sefyll yn yr ail reng ar y pen ar y chwith.

Un o'r 'Belials' oedd Twm Dic, wedi'i eni a'i fagu yng nghysgod tomen anferth chwarel y Cilgwyn. Cyfeiriwyd at yr ardal fel Parc y Bell, am fod yno ar un amser dŷ tafarn o'r enw Bell ar gyfer gweithwyr sychedig o'r chwarel. Dyna un esboniad a glywais, ond efallai bod eraill.

Symudodd Twm Dic i fyw i'n pentref yn ei flynyddoedd olaf, a byddwn yn dod ar ei draws yn weddol aml ar ddiwedd yr Ail Ryfel Byd. Gŵr dymunol dros ben ydoedd, a phan fyddem yn cyfarfod, byddai'r sgwrs yn sicr o droi i fyd y bêl-droed.

Brodor o Dal-y-sarn oedd Wil Tom Lydia, wedi'i eni a'i fagu yn y pentref. Yr oedd ei dad a'i fam, a'm taid a nain ar ochr fy mam yn ffrindiau mynwesol, ac aeth y ddau ŵr gyda'u gwragedd ar eu mis mêl i Gaernarfon, saith milltir i ffwrdd. Dyna i chwi fenter. Yn ystod y Rhyfel Mawr, dyrchafwyd Wil Tom yn swyddog yn y fyddin, dyrchafiad annisgwyl iawn i fab chwarelwr cyffredin. Treuliodd ychydig amser fel stiwdant yng Ngholeg y Brifysgol Bangor ar ddiwedd y Rhyfel, yn yr un cyfnod â Sam Jones, rheolwr y BBC ym Mangor o'r tri degau hyd y chwe degau. Roedd gan Sam feddwl y byd o Wil Tom.

Ar ôl ei gyfnod yn y coleg, treuliodd ei oes yn ei bentref genedigol; yn gyntaf fel athro yn Ysgol y Cyngor Tal-y-sarn, ac wedyn fel prifathro Ysgol y Cyngor ym Mhen-y-groes. Yr oedd Elfrys, ei ferch, a minnau, yn yr un dosbarth yn Ysgol Tal-y-sarn, a hefyd ei brawd iau, Gareth. Trist meddwl bod y ddau ohonynt wedi gadael y fuchedd hon.

Yn ystod ei gyfnod fel athro yn Nhal-y-sarn, ef oedd ysgrifennydd y Band am rai blynyddoedd. Ef hefyd oedd ysgrifennydd y Lleng Brydeinig, a phan fyddai cyfnodau o ddirwasgiad yn y chwareli, byddai'n barod iawn i'w cynorthwyo i lenwi'r ffurflenni angenrheidiol a sicrhau cymorth ariannol i'r teuluoedd a oedd mewn gwir angen. Cymeriad hoffus oedd Wil Tom.

Pan oeddwn o gwmpas wyth/naw oed, byddwn yn derbyn caniatâd gan Mam i fynd i wylio gêm bêl-droed pan fyddai'r Celts yn chwarae gartref. Byddai tyrfa o'r pentrefwyr, ac ymwelwyr yn ymgynnull yng nghae 'Dol Beb', a byddai rhai, yn ystod y gêm yn colli arnynt eu hunain yn lân; a byddai dynion – a merched – a oedd fel rheol yn dawel a chwrtais, yn colli pob rheolaeth ar eu hymddygiad, ac ni fyddai'r geiriau a ddefnyddient yn dderbyniol o gwbl gan y blaenoriaid lleol.

Yr oedd un gôl rhyw hanner can llath o afon Llyfni, a byddai golwg bur bryderus ar wyneb llawer i reffari pan fyddai'n ceisio rheoli'r gêm, yn arbennig pan fyddai'n dyfarnu yn erbyn un o'n 'hogia ni'. Yr oedd yr afon yn llawer rhy agos, a gallai'r creadur ddychmygu ei hun yn llifo i 'ddyfrllyd fedd' ar ddiwedd y gêm.

Rwy'n cofio un gêm yn dda iawn. Yr oedd yn amlwg ar unwaith mai reffari dibrofiad oedd yn rheoli'r gêm, nad oedd yn gyfarwydd â brwdfrydedd dilynwyr y Celts. Cyfeiriodd at y smotyn pan ddyfarnodd bod un o'n 'bechgyn ni' wedi cyffwrdd y bêl â'i law yn y cwrt cosbi, a gosododd y bêl ar y smotyn. Sylweddolodd ei gamgymeriad pan glywodd fytheirio nas clywsai ei debyg erioed o'r blaen o bob cwr o'r cae gan dyrfa fygythiol. Ar y pryd (mis Ionawr ydoedd), yr oedd lli aruthrol yn yr afon a phan glywodd lais treiddgar Lisi Elin, gwraig Dafydd Lisi Elin yn sgrechian, 'Lluchiwch y cythral i'r afon', sylweddolodd, yn yr amgylchiadau, bod yr hen ddywediad Cymraeg: 'Iachaf croen, croen cachgi' yn ffitio'r amgylchiad i'r dim.

Wyth tro yn olynol plannodd un o chwaraewyr y 'gelyn' y bêl ym mherfedd y rhwyd, ond i ddim pwrpas, darganfyddodd y reffari ryw drosedd neu'i gilydd bob tro. Y nawfed tro cawsom arbediad bendigedig gan y gôl-geidwad (bachgen o Frynderwen Terrace), a dyna ddiwedd y stori. Aeth pawb adref yn hapus, ar wahân i'r ymwelwyr a'u tîm, ac ar fy ffordd adref, clywais nifer yn dweud reffari mor arbennig o dda oedd wedi rheoli'r gêm.

Flynyddoedd yn ddiweddarach, roeddwn yn stiwdant ym Mangor, ac yn gapten y tîm pêl-droed; 1946 oedd y flwyddyn. Pan fyddwn gartref yn ystod y gwyliau, yn arbennig gwyliau'r Pasg, byddwn yn derbyn croeso cynnes gan Bob Cook, perchennog y Nantlle Vale Hotel. Roedd Bob yn boblogaidd dros ben, oherwydd ei ddiddordeb yn y tîm, a'i brofiad. Buasai ef yn chwarae i dîm dinas Bangor am flynyddoedd cyn ymddeol, ac roedd yn gwybod 'beth oedd be' ym myd y bêl-droed.

Yn ystod gwyliau'r Pasg, byddwn yn cael gwahoddiad i chwarae yn nhîm y Celts, profiad unigryw iawn. Roedd y dyrfa mor frwdfrydig ag erioed, a'r bytheirio a'r iaith fygythiol gystal ag erioed. Roeddwn yn chwarae un tro yn erbyn ein prif wrthwynebwyr, Nantlle Vale o Ben-y-groes, a'r dyrfa yn fwy swnllyd nag arfer. Cefais y bêl wrth fy nhroed, ac i lawr y cae â mi fel milgi, ac o ganol y dyrfa swnllyd clywais lais yn bloeddio (nid Lisi Elin, yr oedd hi 'o'n hochor ni'), 'Hei Wil, dyro rych i'r diawl'. Yn anffodus, yr oedd Mam wedi dod i wylio'r gêm, ac yn sefyll yn bur agos at y brawd bygythiol, ac yn ddibetrus, trawodd ef ar draws ei ben gyda'i hambarél er mawr fwynhad i gefnogwyr y Celts. Yr oedd gennyf gywilydd, ac roeddwn yn falch pan ddaeth y gwyliau i ben, tra'r oedd hanes Kate a'i hambarél yn fyw iawn ar wefusau pentrefwyr Talysarn.

Roedd y Celts yn dîm ardderchog, yn llawn brwdfrydedd ac yn fechgyn lleol i gyd bron. Roeddent yn fedrus gyda'r bêl a dyfeisgar, ac roedd yn bleser chwarae mewn tîm o'r fath, a gallaf eich sicrhau y byddwn mor falch â neb pan fyddem yn fuddugol, a digwyddai hynny yn bur aml.

Y mae llawer i'w ddweud, ond nid wyf yn credu y byddai llawer o'r hanesion yn addas i'w cyhoeddi mewn print. Er hynny, dyddiau difyr oeddent, gyda chyfeillgarwch cynnes a llawn hiwmor.

Llyfryddiaeth

Ambrose, Y Parch. W.R.: *Nant Nantlle*

Edwards, O.M.: *Cymru Coch*

Francis: Griffith: *Telyn Eryri*

Griffith, R.D.: *Hanes Canu Cynulleidfaol Cymru*

Hobley, William: *Hanes Methodistiaeth Arfon*

Jones, Cledwyn: 'O Na Byddai'n Haf o Hyd', Darlith Flynyddol Llyfrgell Pen-y-groes

Jones, Gwynfor Pierce a Richards, Alun John: *Cwm Gwyrfai – The Quarries of the North Wales Narrow Gauge and the Welsh Highland Railway*

Jones, Thomas Lloyd: *Hanes Methodistiaeth yn Nhal-y-sarn*

Llythyr Mrs Evelyn Devine o Phoenix, Arizona, UDA yn cynnwys ychydig wybodaeth am ei mam, Mary King Sarah

North, F.J.: *The Slates of Wales*

Pritchard, D. Dylan: *The Slate Industry of North Wales*

Richards, Y Parch. Gwynfryn: *Hanes Cynnar Ysgolion Dyffryn Nantlle*

Thomas, Dewi: *Chwarelau Dyffryn Nantlle a Chymdogaeth Moel Tryfan*

Williams, Ffowc: 'Tu Draw i'r Afon', Darlith Flynyddol Llyfrgell Pen-y-groes

Williams, Richard Henry: *Tameidiau Bywyd*

Atodiad

Cyfeiriais yn barod at enwau rhai o gymeriadau'r pentref yr oeddwn i yn gyfarwydd â nhw, fel Ifan Ifas Pot Saim; Ifan Defi, Sergeant cyntaf yr Home Guard; fy hen gyfaill, John Sêl; Sei Bach ac eraill. Yn yr atodiad hwn, ychwanegais nifer o rai eraill yr oeddwn yn eu hadnabod yn dda, rhai yn well nag eraill. A dweud y gwir, nid oeddwn yn gwybod beth oedd cyfenw y mwyafrif ohonynt, a'r unig ffordd i mi wybod pwy oedd pwy oedd gwrando ar y gair disgrifiadol a fathwyd gan y chwarelwyr i wahaniaethu'r naill oddi wrth y llall. Dyma rai ohonynt.

Daeth llawer o'r enwau i'm cof ar ôl sgwrsio â'm hen gyfaill, Aneurin Wynne Jones, a anwyd ac a fagwyd ym Mhenybont.

Richard Jones, Pendeitch. Rhoddwyd ar ddeall i mi flynyddoedd yn ôl bod Richard Jones wedi'i eni a'i fagu mewn tyddyn ar y llechwedd gogleddol lle'r oedd 'ditch' wedi'i chloddio uwchben chwareli Blaen y Cae a Pen Bryn. Symudodd ef a'i wraig, Elin Wini i fyw yn un o dai bach Penbont. Roedd yno bedwar o blant: Sam, a oedd yn aelod selog o fand Nantlle Vale am flynyddoedd lawer; Nathan, a fu farw o'r ddarfodedigaeth yn bur fuan ar ôl dychwelyd o'r Lluoedd Arfog; Ernest wedyn, a dreuliodd rai blynyddoedd yn garcharor rhyfel gyda'r Siapaneaid, ac yn fuan wedi'i ddychweliad, fe'i lladdwyd mewn damwain wrth chwalu hen sied yn chwarel Tal-y-sarn; Cynthia oedd yr unig ferch, a phriododd hi John Ifor a drigai yn yr un rhesiad tai.

Wil Llofft Bach. Gwelaf ef y funud yma, ar nos Wener fel rheol, yn cerdded yn dalsyth i lawr y stryd gyda'i gap ar ochr ei ben. Stwrcyn bychan cyhyrog oedd o, â gwên ar ei wyneb bob tro y gwelwn ef.

Johnny Sara Bach. Pwtyn bychan eiddil, a'i draed yn pwyntio at chwarter i dri pan fyddai'n cerdded. Dim ond dau o'i blant yr wyf yn eu cofio, sef Mati (merch hynod brydferth), a Wil, a oedd yn dioddef nam ar yr ymennydd.

Wil Drol. Gŵr eiddil yr olwg, tawedog, a drigai yn School Terrace. Nid wyf yn cofio enwau ei ddwy ferch. Ni welais Wil erioed mewn trol, ond y mae'n amlwg bod rhyw gysylltiad yn rhywle.

Now Pry'. Rwy'n cofio'r enw, ond nid oes wyneb yn cyfateb.

Mwstash Wiars. Oes angen dweud mwy?

Mwstash Briallu. Nid oes yma wyneb, ond enw. Yr un modd, *Molchi Byth* a *Now Dim Sŵn.* Mae cof ohonynt wedi mynd i ebargofiant.

Wil Camau Mân. Pe baech yn crybwyll William Jones, ni fyddai neb ddim callach, ond gyda'r ychwanegiad gwyddai pawb pwy ydoedd.

Bob Teliffon. Yr oedd cyfnewidfa ffôn yn Nhal-y-sarn, ar draws y ffordd i'r stesion, a dyma'r unig gysylltiad â'r byd mawr tu hwnt i'r pentref. Yn agos i'r '*telephone exchange*' y trigai tad a mam Bob, os nad yn yr un adeilad. Ni welais Bob erioed yn gwisgo na choler na thei, ac ni fyddai byth yn cau botymau ei grys, gaeaf na haf, gwres na thywydd rhewllyd. Priododd wraig fach eiddil yr olwg, ond ganwyd un ar ddeg o blant iddi. Stwrcyn cyhyrog oedd Bob yntau, ac yn llawn hiwmor.

Wil Diafol. Nid oeddwn yn ei adnabod ef yn dda iawn, oherwydd 'lonar' oedd o, ac yn fyr ei dymer yn ôl yr hyn a glywais, yn arbennig ar ôl rhyw beint neu ddau. Ni thorrais air ag ef erioed, ond efallai fy mod yn gwneud cam ag ef.

Wil y Celwydd Golau. Cyfeiriais ato ef yn barod fel is-arolygwr Ysgol Sul Cefn Siop. Yn ôl rhai o'i gydweithwyr, yr oedd ei storïau am ei anturiaethau yn y Rhyfel Byd Cyntaf yn gynnyrch dychymyg byw iawn, a gwyddai llawer ohonynt a fu drwy'r drin, mai 'celwydd golau' oeddent. Er hynny, ni fyddai neb yn ei gondemnio, oherwydd yr oedd yn ddigon diniwed.

Alic up and down. Yr oedd ef wedi cael damwain ddifrifol i'w goes cyn fy ngeni i, ac yr oedd yn gloff iawn. Ni thorrais air ag ef erioed.

Now Pwdin Reis. Dyma'i hoff luniaeth debyg.

Gwilym Pigi. Yr oedd Gwilym a minnau'n fêts. Yr oedd yn hŷn na mi, ond yr oedd yn llawn hiwmor, a mwynhawn ei gwmni. Ni chlywais neb erioed yn egluro o ble daeth y cyfenw Pigi.

Hywel Plismon. Mab plismon y pentref oedd o, gyda llais bâs bendigedig. Treuliodd beth amser yn chwilio am waith yn Llundain, a mawr oedd y cyffro pan glywsom bod Hywel yn 'ffilm star', a'i fod yn cymryd rhan mewn ffilm gyda Wil Hay. O'r diwedd cyrhaeddodd y ffilm y Plaza ym Mhen-y-groes, ac yr oedd y sinema dan ei sang y noson honno. Gwelsom Hywel – am ryw bum eiliad – mewn trên, ac yn cael ei daro ar ei ben gyda rhaw y gyrrwr. Cafodd groeso tywysogaidd pan ddaeth adref ychydig yn ddiweddarach, ac ar y dôl.

Dic Penllyn. Un o hogia Cefn Siop oedd o. Byddai'n mynychu'r Ysgol Bach yn gyson yn ystod ei blentyndod, ond fel ei daid, eglwyswr oedd Dic yn y bôn. Yr oedd yn hoff iawn o ganu carolau plygain o gwmpas y Nadolig mewn cyfarfodydd yn yr eglwys. Roedd ganddo yntau lais bâs godidog fel ei daid a'i frawd Henry Peris, ef oedd iodlwr gorau'r pentref.

Cena Bach. Yn ôl Aneurin Jones, yr oedd yn ffotograffydd penigamp gyda chamera teircoes. Gallai dynnu llun a'i ddatblygu ei hun. Pan fyddai'n' tynnu llun grŵp, byddai bob amser yn ymuno â'r grŵp, ac yn defnyddio llinyn hir i dynnu'r ffotograff.

Now Now (Owen Owen). Trigai ef a'i deulu yn rhif 23 Eivion Terrace. Roedd gennyf barch mawr iddo ar hyd ei oes. Yr oedd yn un o 'godwyr canu' y Capel Mawr. Tenor oedd o, ond yr oedd ganddo lais fel crîb, caled a threiddgar, ond yr oedd yn gymwynaswr ac athro ardderchog i ni'r plant. Chwarelwr oedd o, ond wythnos ar ôl wythnos, ar ôl dychwelyd o'r chwarel, byddai'n newid ei ddillad cyn dod atom ni'r plant yn festri'r capel i'n trwytho yn y Tonic Sol-ffa. Roedd yn hynod amyneddgar a phan adewais i ei ddosbarth yr oeddwn innau yn gallu darllen Sol-ffa ar yr olwg gyntaf gystal â neb. Heddiw, gallaf ddarllen y ddau nodiant yn bur hwylus, ond erys dylanwad Now Now yn drwm arnaf o hyd.

Huw Babi Dol. Dim ond enw yw hwn i mi heddiw, y mae'r cof ohono wedi diflannu.

Wil Dolgau. Chwarelwr eto, ac yn berchen llais tenor gyda'r hyfrytaf. Ef oedd tad fy hen gyfaill Leslie. Yr oedd yno ferch o'r enw Sylvia, a brawd a chwaer arall nad wyf yn cofio eu henwau.

Traed Chwarter i Dri. Aeth cof ohono i ebargofiant, ar wahân i'r enw.

Tafleisydd (John Thomas). Yr oedd ef rai blynyddoedd yn hŷn na mi, ond ganwyd ef yn rhif 15 Eivion Terrace, drws nesaf i mi. Yn gynnar yn ei oes, meistrolodd y grefft o daflu ei lais, ac yn bur llwyddiannus yn ôl yr hanes. Gan ei fod yn llawn hiwmor, byddai ef a'i ffrindiau yn cael hwyl anghyffredin pan fyddai'n mynd i mewn i siop ac achosi tipyn o benbleth i'r perchennog trwy daflu ei lais i wahanol gorneli yn y siop.

Erys un noson yn fyw iawn yn fy nghof. Noswaith hyfryd o haf oedd hi, gydag awel dyner o'r de-orllewin. Roeddwn yn eistedd ar wal tu allan i'm cartref yn gwrando ar y cogau yn y Cynffyrch, a rheged yr ŷd yng nghae gwair Dôl Pebin, pan glywais sain nas clywswn ei debyg erioed o'r blaen. Mae'n amlwg mai offeryn o ryw fath ydoedd, ac ar ôl cerdded i darddiad y sain, deuthum o hyd i nifer o fechgyn yn eistedd ar sêt ar y Bont Newydd yn gwrando ar Tafleisydd yn chwarae caneuon poblogaidd y cyfnod ar gitâr, gan gynnwys, 'Show me the way to go home' ac eraill. Yr oedd John Thomas wedi meistroli'r grefft o chwarae'r gitâr pan oedd yr offeryn hwnnw yn ddieithr iawn yn y dyffryn, ac yn fwy dieithr byth i'r glust.

Yr oedd y dynion uchod yn gymeriadau unigryw iawn, ac ni welwn byth mo'u tebyg eto. Unwaith eto, diolch iddynt am eu cyfraniad hael i'n cymdeithas. Braint oedd bod yn eu cwmni. Bendith i'w llwch.